Nicholas Martin
Mason-Mayerhöfler

NEUN KLAFTER
1643 – 1945

Roman

*Tief in der Erde Schooss erwartet uns
ein ernstes Loos.*

Nicholas Martin Mason-Mayerhöfler:
Neun Klafter. 1643 – 1945. Roman

Lektorat: Christina Korenjak
Umschlaggestaltung: ilab crossmedia
Redaktion: Adrian Kert

© 2018, Hermagoras Verlag/Mohorjeva založba, Klagenfurt/
Celovec – Ljubljana/Laibach – Wien/Dunaj
Gesamtherstellung: Hermagoras Verein/Mohorjeva družba,
Klagenfurt/Celovec

ISBN 978-3-7086-0994-2

*Besonderen Dank an
Claudia für ihre Hilfe und Ermunterung*

sowie an

*Mag. Sabine Stehrer, ohne ihr Buch
„Der Goldzug" (Czernin Verlag, 2006)
aus dem einige Daten übernommen werden durften,
wäre die Entstehung dieses Buches nicht möglich gewesen*

und an

*Elfi Gerstl
für ihre wertvolle Hilfe.*

„Schrecklich ist die Volksmasse,
wenn sie schlimme Führer hat."
Euripides (Orestes 772)

Montag, 4. Mai 1643, Kliening im Lavanttal, Kärnten

Aus dem Bericht des Bergrichter Gleyerscher an den Vizedom über den Bergbau in Kliening im Lavanttal:

„… An ferneren Gewerken nennt der Bericht Gleyerschers die Frau von Eybiswald, die eine alte Grube in der Weide Florian Sattlers über dem Liechtengraben baue und dieselbe bereits 9 Klafter vorgetrieben habe. Sie habe schlichreichen Moder angetroffen, wovon der Zentner eine Spur Silbers enthielt."[1]

***

---
[1] Hofkammerarchiv Wien, Fasc. 18.335

Montag, 9. April 1945, Lichtengraben im Lavanttal, Reichsgau Kärnten

Ich rannte, so rasch ich konnte, den Forstweg hinter dem Bauernhaus hinauf. Die unbequemen, mir zu großen Stiefel, die ich mit Zeitungspapier ausgestopft hatte, um darin einen besseren Halt zu finden, eigneten sich nicht zum Laufen und noch dazu ging es bergauf.

Die Angst trieb mich vorwärts, aber nach einigen Hundert Metern musste ich langsamer laufen, der Weg war schmal, der Boden feucht, glitschig und mehrmals glitt ich aus und stürzte fast. Es lag noch Schnee und der Weg war an vielen Stellen vereist, nur dort, wo schon ein wenig die Sonnenstrahlen aufgekommen waren, war das Eis am Boden teilweise geschmolzen. Ich begann zu keuchen, das Laufen war anstrengend, bald bekam ich Seitenstechen, es blieb mir nichts anderes übrig als stehen zu bleiben.

Ich war ohne Plan losgerannt, weg, nur schnell weg, es war klar, dass ich so schnell als möglich einen großen Abstand zum Bauernhaus erreichen musste.

Sie würden sehr rasch merken, dass einer von den Sieben fehlte. Dass ich fehlte. Und sie würden mich suchen. Aber andererseits, sie hatten keine Hunde und bis sie welche holten, würde ich hoffentlich über alle Berge sein, weit weg von ihnen, in Sicherheit.

Neben dem Forstweg, der nun wieder etwas breiter geworden war, befand sich ein kleiner Bach. Mein Mund war beim Laufen vom Keuchen trocken geworden. Ich trat auf einige Steine, um den Bach zu erreichen, trank etwas von dem klaren, kalten Wasser und dann, ohne nachzudenken, stieg ich ins Wasser und ging in die gleiche Richtung, in die ich schon entlang des Weges gelaufen war. Nach wenigen Metern wusste ich, dass das keine gute Idee war, bald waren die Stiefel innen nass, aus dem Zeitungspapier wurde kalter Gatsch und ich rutschte noch mehr mit meinen jetzt eiskalten Füssen in den Stiefeln herum. Aber ich wollte nicht stehen bleiben und ging einige Hundert Meter im Wasser weiter, bis ich es nicht mehr aushielt. Meine Füße waren wie erfroren, ich konnte meine Zehen fast nicht mehr spüren. Ich suchte eine Stelle, an der ich aus dem Bach steigen konnte, möglichst ohne Spuren, ich hatte Angst, dass sie mich verfolgen und meine Schuhabdrücke finden würden. Auf einem großen Stein setzte ich mich hin, zog die Stiefel aus, leerte das Wasser und den kalten Zeitungsgatsch aus und drückte mit steifen Fingern meine Socken aus. Meine Füße waren eiskalt, ich begann sie zu massieren, es tat weh, aber ich durfte keine Zeit verlieren, ich musste weiter, sonst würden sie mich erwischen. Nach einigen Minuten konnte ich meine Zehen wieder bewegen, ich zog die Socken und die Stiefel an und ging vorsichtig, ohne Spuren oder Abdrücke zu hinterlassen, wieder zum Weg zurück.

Das Laufen mit den schweren Stiefeln war jetzt noch schwieriger geworden, aber ich zwang mich in einen Trab, so rasch als möglich, jedoch nur so schnell, dass ich die Geschwindigkeit eine längere Strecke würde halten können. Da der Weg jetzt oft Biegungen machte, musste ich aufpassen, dass ich nicht vielleicht wieder zurück in die falsche Richtung lief. Aber Waldgebiet war mir nicht unbekannt, bei mir zu Hause war ich oft im Wald des Leithagebirges unterwegs gewesen.

Ich sah auf die Uhr, die mir mein Vater geschenkt hatte, es war jetzt knapp vor zwölf Uhr, ich war vor ungefähr 25 Minuten davongelaufen und jetzt hatten sie mein Fehlen bestimmt schon bemerkt, unwillkürlich lief ich wieder schneller. Nur ein kurzes Stück, ich musste wieder mehr keuchen und blieb kurz stehen, um vielleicht etwas hören zu können.

Es war still, unheimlich still, eine brüllende Stille drückte auf meine Ohren. Nichts, da war nichts, ich hörte nichts außer dem leisen Plätschern des Bachs, dessen Wasser noch immer neben dem Forstweg bergab lief, in die entgegengesetzte Richtung, in der ich mich bewegte, und daher wusste ich, dass es die richtige Richtung für mich war. Ich war unruhig, weil ich so gar nichts hörte.

Plötzlich, die Ruhe jäh unterbrechend, hallten zwei, drei Salven von entfernten Schüssen laut durch das Tal zu mir herauf. Und danach noch einige einzelne Schüsse, fast genauso laut.

Mir wurde übel, ich wusste, was das bedeutete. Sie hatten es ja so besprochen.

Die Angst saß mir nun im Nacken, groß und schwer wie ein Felsbrocken, und sie schnürte mir die Kehle zu. Ich rannte wieder los, weg, weg, nur weg, weiter weg.

Dieses Mal hielt ich das rasche Laufen etwas länger durch, aber dann musste ich wieder stehen bleiben, ich bekam keine Luft, meine Knie zitterten und ich sah mich um, immer damit rechnend, dass sie mich verfolgten und einholen könnten.

Plötzlich mitten in mein Keuchen und in die Stille des Waldes, ein gewaltiges, grollendes Donnern, sekundenlang. Es hallte lange nach und ich wusste, sie hatten die Sprengung ausgelöst.

Ich begann wieder zu rennen.

***

Sonntag, 19. März 1944, Budapest, Ungarn

Adolf Hitler lässt Ungarn besetzen, um zu verhindern, dass sich das Land des bisher Verbündeten auf die Seite der Alliierten schlägt, und wohl auch aus Ärger darüber, dass die Ungarn die Juden und deren Vermögen bislang nicht an das Dritte Reich ausgeliefert haben.

Zu den Besatzungstruppen gehört ein Sonderkommando, das von Adolf Eichmann[2] geleitet wird und „die Beratung und technische Unterstützung für die schnelle Durchführung der Endlösung"[3] bietet.

Im Jahr 1941 leben in Ungarn 825.000 Juden. 230.000 davon in Budapest. Bis vor wenigen Jahren spielte die jüdische Gemeinschaft noch eine wesentliche Rolle in der Gesellschaft des Landes: 60 Prozent aller Bankiers waren Juden, die Hälfte aller Ärzte und Richter, ein Drittel Wissenschaftler, Journalisten und Schriftsteller.[4]

Das gehört nun der Vergangenheit an. Denn die nationalsozialistische Rassenideologie ist gesetzlich verankert, die Juden sind schweren Benachteiligungen und Schika-

---

[2] Adolf Eichmann, SS-Obersturmbannführer, 1962 in Israel nach Prozess wegen 1. Verbrechen gegen das jüdische Volk, 2. Verbrechen gegen die Menschlichkeit, 3. Kriegsverbrechen, 4. Mitgliedschaft in einer verbrecherischen Organisation am 15. Dezember 1961 zum Tode verurteilt und am 1. Juni 1962 hingerichtet.
[3] Sabine Stehrer: „Der Goldzug", Wien 2006, S. 11
[4] Gábor Kádár, Zoltán Vági: „Holocaust Era Looted Assets Of Hungarian Jewry", Budapest 2000, S. 6.

nen ausgesetzt. Immer weniger von ihnen dürfen in intellektuellen Berufen arbeiten.

Innerhalb von 56 Tagen lässt Eichmann mehr als die Hälfte der ungarischen Juden, 437.052, wie er penibel bilanziert, nach Auschwitz bringen. In Einzelaktionen werden weitere 11.000 bis 12.000 Juden in andere Konzentrationslager deportiert, auch nach Mauthausen – und meist gleich nach der Ankunft vergast. Im Juli ist praktisch das gesamte ländliche Ungarn „judenfrei".

Am Ende des ungarischen Holocaust steht die Zahl von 564.000 Ermordeten.[5]

***

---

[5] Ebenda, Study 1.

Montag, 9. April 1945, Lichtengraben im Lavanttal, Reichsgau Kärnten

Nun trieb mich die Angst vorwärts und ich achtete nicht auf meine zu hohe Laufgeschwindigkeit, das rächte sich nach kurzer Zeit, ich keuchte, bekam jetzt fast überhaupt keine Luft mehr, musste husten, mein Kopf dröhnte, ich musste stehen bleiben und mich auf den Boden setzen, aber der Husten hörte nicht auf, ich rang wie ein Erstickender nach Luft und legte mich auf den Rücken, mitten am Weg.

Erst nach einigen Minuten, die mir wie eine Ewigkeit vorkamen, konnte ich mich wieder aufrichten und sofort zwang mich die Angst weiter, laufen konnte ich im Moment nicht. Also ging ich langsam, aber stetig vorwärts, um weiter vom Ort meiner Flucht wegzukommen. Obwohl nun schon wieder eine ganze Weile vergangen war, glaubte ich noch immer die Schüsse zu hören und das dumpfe Grollen der Sprengung. Es war wie eine immer wiederkehrende Wiederholung in meinem Kopf und das Schlimme daran war, dass ich sicherlich der Einzige der Sieben war, der jetzt noch lebte.

***

Freitag, 14. April 1944, Budapest, Ungarn

Am 14. April 1944 erlässt das Marionettenregime[6], die faschistische Pfeilkreuzler-Regierung, das Dekret Nr. 1600 zur „Registrierung und Beschlagnahmung des jüdischen Eigentums".

Danach richtet das ungarische Finanzministerium ein eigenes Büro für Beschlagnahmungen ein. Die Beamten haben verstecktes jüdisches Vermögen aufzuspüren. Oft werden sie von Nachbarn auf die Spur gebracht, wie im Fall eines Budapester Rechtsanwalts. Zwei Tage lang schlagen die Beamten mit Eisenstangen gegen die Wände der Wohnung, ehe sie die Hohlräume entdecken. Darin finden sie 40 Kilogramm Goldbarren, 24.000 napoleonische Goldmünzen, ein Diadem mit Diamanten, ein Platin-Armband mit Diamanten, Diamantringe, eine Gürtelschnalle aus Gold, 40 goldene Zigarettenetuis, Armbänder, Kreuze, eine drei Meter lange Goldkette, einen Siegelring, Golduhren, Ohrringe mit Diamanten und noch 30 bis 40 Kilogramm Ketten und Ringe.[7]

Der Rechtsanwalt darf die Kleider, die er trägt, zwei Garnituren Unterwäsche, Lebensmittel für 14 Tage, Ge-

---

[6] Ministerpräsident ist ab dem 23. März 1944 Döme Szójay, früher ungarischer Botschafter in Berlin, Finanzminister Lajos Reményi-Schneller, Innenminister Andor Jaross. Er wird später von Gábor Vajna abgelöst.
[7] Gábor Kádár, Zoltán Vági: „Holocaust Era Looted Assets Of Hungarian Jewry", Budapest 2000, S. 17.

päck mit einem Gewicht von maximal 50 Kilogramm (inklusive Bettwäsche und Matratzen) nach dem Dekret des Innenministeriums mit der Nummer 6163 vom 6. April 1944 über zwei Internierungslager nach Auschwitz mitnehmen, wo er ermordet wird.

Sein Vermögen packen die Finanzbeamten in zwei große Koffer, die in das Pfandhaus in der Lónyay Straße in Budapest gebracht werden. Sie hätten auch andere Lager zur Auswahl gehabt.

Auch aus anderen Städten und Regionen werden jüdische Besitztümer in Zügen und Lastwagen herangeschafft und gelagert. Dem Internationalen Roten Kreuz, der Armee und Angehörigen der Pfeilkreuzler-Partei räumt die Regierung das Recht ein, sich aus den Lagern zu bedienen und damit Handel zu betreiben.[8]

Im Oktober drohen die Nazis dem Reichsverweser des Königreichs Ungarn, Miklós Horthy, mit der Ermordung seines Sohnes. Sie wollen ihn zum Abdanken zwingen, weil er sich angesichts der heranrückenden Roten Armee um einen Waffenstillstand mit den Alliierten bemüht hatte, und sie haben Erfolg. Noch bevor Horthy geht und der Parteichef der Pfeilkreuzler, Ferenc Szálasi, zum Staatsoberhaupt ernannt wird, entscheidet der Finanzminister, möglichst viele der in Budapest gesammelten jüdischen Besitztümer zum Schutz vor der Roten Armee nach West-Ungarn zu schaffen.

Der von den Nazis am 15. Oktober 1944 eingesetzte neue Ministerpräsident Ferenc Szálasi erlässt am Freitag, den 3. November 1944, ein Dekret mit der Nummer

---

8 Ronald W. Zweig: „The Gold Train", New York 2002, S. 64.

3840, in dem alles jüdische Vermögen zum „Eigentum der Nation, also Eigentum der Regierung" erklärt wird. Jetzt haben nach den Pfandhäusern und den anderen Sammelstellen auch die Banken des Landes ihre Depots der beschlagnahmten Gegenstände zu leeren.

In der Zeit vom 16. Oktober bis Ende Dezember 1944 gehen in mehreren Transporten Geld, Gold, Silber und Juwelen hundert Kilometer nach Westen und werden in die großen Keller des Schlosses Óbánya bei der Kleinstadt Zirc gebracht.[9]

***

---

[9] Die Transporte werden mithilfe von Lastwagen und Zügen abgewickelt. Wie viele Lastwagen, ist nicht bekannt.
Die Angaben über die Anzahl der Waggons bewegen sich zwischen 18 oder 22 über 42 bis zu 50.

Freitag, 21. April 1944, Landesarchiv Kärnten, Klagenfurt Landhaus, Reichsgau Kärnten

Herbert Glawintschnig kam um exakt 8.00 Uhr zu seiner Arbeitsstelle im Kärntner Landesarchiv.

Er brauchte nicht aufzuschließen und klopfte nur an die Türe, da er wusste, dass die Bedienerin schon vor ihm da war und ihm öffnen würde.

Seine Tasche legte er neben seinem Schreibtisch auf einen der Stühle und machte es sich gemütlich.

Sein linker Arm schmerzte. Seltsam nur, dass er ihn nicht mehr hatte. Er war in einem Feldlazarett in Stalingrad geblieben. Als Soldat bei der 100. Jäger-Division der Deutschen Wehrmacht hatte ihn am 26. November 1942 in einem Gebiet, das bereits für „feindfrei" erklärt worden war, ein russischer Scharfschütze erwischt.

Der heftige Schlag hatte ihn fast zu Boden geworfen, zuerst hatte er keine Schmerzen verspürt, aber dann hatte er gesehen, dass ihm das Blut über das Handgelenk und über seine ganze Hand strömte. Der Sani hatte ihm den Arm abgebunden und irgendetwas von einem „Heimatschuss" erzählt und dass er bald wieder in Ordnung sein würde.

Im Feldlazarett hatte ihm der Oberarzt den Druckverband abgenommen und ihn untersucht, danach hatte er eine Narkose erhalten und als er wieder aufgewacht war, hatte er sich zwar schwach gefühlt, aber außer ein wenig Übelkeit schien alles so zu sein wie vorher. Aber dann hatte er gesehen, dass dort, wo sein linker Arm sein müsste, nichts mehr war. Er hatte zwar noch seine linke Hand gespürt und das Gefühl gehabt, die Finger bewegen zu können, aber der ganze Arm war weg, einfach nicht mehr da. Jetzt hatten die Schmerzen eingesetzt und er hatte ein Schmerzmittel erhalten, das ihn hatte einschlafen lassen.

Am nächsten Morgen war er mit trockenem Mund aufgewacht und hatte sich zunächst gar nicht erinnern können, bis er wiederum seinen linken Arm nicht hatte finden können. Der Oberarzt war zur Visite gekommen und hatte ihm erklärt, dass er den Arm leider nicht mehr hatte retten können und deshalb hatte amputieren müssen. Und dass man ihn, wenn er wieder auf den Beinen war, bei nächster Gelegenheit in die Heimat ausfliegen werde.

Am Sonntag, den 6. Dezember 1942, war Herbert Glawintschnig, noch wackelig auf den Beinen, mithilfe eines anderen am Feldflugplatz Gumrak in eine Junkers 52 geklettert, die Nachschub gebracht hatte und nun am Rückweg Verwundete ausflog. Er hatte einen der Plätze ganz hinten zugewiesen bekommen, neben einem Kameraden mit einem Kopfverband und einem, der sich auf eine Krücke stützte, weil ihm der rechte Fuß fehlte. Auch zwei Bahren mit liegenden Verwundeten waren an Bord gebracht worden. Der verwundete Soldat Herbert Glawintschnig war zuerst in ein Feldlazarett in Bayern gekommen und war dann, nach zwei Wochen, aus dem Militärdienst entlassen worden.

Nach seiner Rückkehr hatte er mit einer Urkunde, dem „Besitzzeugnis", das „Verwundeten-Abzeichen in Silber" erhalten. Es war aus Blech. Aber er trug es immer stolz, dem Herzen nahe, auf dem linken Revers seines Sakkos.

Die Arbeit hier im Landesarchiv hatte er höchstwahrscheinlich als Kriegsinvalide bekommen und er war froh darüber.

Nach Hause auf den Bauernhof seiner Eltern in der Nähe von Kappl am Krappfeld kam er nur an den Wochenenden, es war mühsam, von Klagenfurt hierher zu kommen und an den Montagen musste er wieder im Landesarchiv in Klagenfurt sein. Mithelfen konnte er am Hof nicht viel, nur Hühner und Schweine füttern war mit seiner einen, verbliebenen Hand möglich, auch Früchte sammeln und Holz hacken ging noch. Aber an einen vollen Arbeitseinsatz in der Landwirtschaft war nicht mehr zu denken.

Jetzt war es 9.00 Uhr und Herbert Glawintschnig griff nach seiner Tasche, um das mitgebrachte Frühstücksbrot auszupacken.

Er kam nicht mehr dazu, denn überraschend öffnete sich die Türe und ein hochgewachsener Mann in der Uniform eines SS-Obersturmbannführers trat mit einem lauten „Heil Hitler" ein.

Glawintschnig war überrascht. Was wollte der hohe SS-Offizier hier? Es kamen ohnehin nur wenige Besucher ins Landesarchiv und so einen Besuch hatte er hier noch nie gesehen, das war sehr ungewöhnlich.

Der Offizier trat näher, Glawintschnig erhob sich und sagte: „Heil Hitler, guten Morgen, wie kann ich Ihnen helfen?"

Der Obersturmbannführer nahm seine Kappe ab und legte sie auf den Schreibtisch. Er hatte blondes Haar und ein kantiges Gesicht mit eisblauen, hellen Augen. Mit einem Griff in die Innentasche seiner Uniform förderte er ein zusammengefaltetes Blatt hervor, entfaltete es, ohne seine schwarzen Handschuhe auszuziehen, und übergab es Glawintschnig, ohne etwas zu sagen.

Es war ein offizielles Dokument des „Reichssicherheitshauptamtes", in dem festgehalten wurde, dass dem Überbringer dieses Schreibens unbedingt jede gewünschte Unterstützung zu leisten sei und alle von ihm ausgesprochenen Befehle und Anordnungen ohne weitere Nachfrage durchzuführen seien. Gezeichnet vom Reichsführer SS und Chef der Deutschen Polizei Heinrich Himmler.

Die schwarz behandschuhte Hand griff wieder nach dem Papier und entzog es Glawintschnig, danach verschwand das Dokument wieder in der Innentasche der Uniform.

„Ich brauche von Ihnen alle vorhandenen Bergwerkskarten aus dem Lavanttal und zwar von Kliening und Umgebung!" Er sagte: „Lavanttal" und nicht wie ein Kärntner „Lofntol", damit war klar, er war von auswärts, wahrscheinlich ein Reichsdeutscher.

Herbert Glawintschnig war sprachlos, er brachte nur ein „Jawohl" heraus und stierte den SS-Mann unverständig an. Das Landesarchiv hatte einige Bergwerkskarten, aber die waren schon alt und er konnte sich nicht vorstellen, warum die SS an diesen interessiert war.

„Was glotzen Sie so, Mann, machen Sie weiter!" Der Offizier wurde ungeduldig.

„Jawohl, ich hole sie Ihnen!" Glawintschnig wusste, dass mit der SS nicht zu spaßen war, er hatte einmal in Russland im Vorbeimarschieren gesehen, wie SS-Leute mit gefangenen Zivilisten umgegangen waren, einer der SS-Soldaten hatte eine Frau und ein Kind, die nicht mehr weiter konnten, einfach erschossen.

Er verschwand rasch in einem der hinteren Räume und erschien wenig später mit einem zusammengebundenen Papierpaket, das oben und unten durch zwei Aktendeckel geschützt wurde.

Die behandschuhten Hände knüpften die Schnur auf und der Offizier begann in dem Paket zu blättern. Er suchte offensichtlich etwas Bestimmtes, konnte es aber nicht finden.

„Die sind ja alle frühestens ab den Jahren 1780. Gibt es noch andere, vielleicht ältere, so ab 1500, und zwar aus dem Lichtengraben?", fragte der Obersturmbannführer.

Glawintschnig antwortete ihm direkt: „Nein, Herr Obersturmbannführer, frühere Karten haben wir nicht, wahrscheinlich deshalb, weil in der K&K-Zeit nur Karten von noch damals in Betrieb befindlichen Bergwerken hergestellt wurden und aus dem Lichtengraben haben wir sicher keine!"

Seine gerade vorgetragenen Weisheiten hatte er vom Direktor, der einmal über die ältesten Bergwerkskarten im Landesarchiv gesprochen hatte.

Herbert Glawintschnig hatte nicht den Eindruck, dass der Offizier ungehalten war, weil es die von ihm gewünschten Unterlagen nicht gab. Es schien ihm irgendwie gerade recht zu sein.

Der SS-Offizier ließ die Blätter liegen und griff nach seiner Kappe.

Mit „Gut, ist in Ordnung! Heil Hitler!" verließ der Mann das Kärntner Landesarchiv und Glawintschnig beschloss, diesen Besuch aus seinem Gedächtnis zu streichen. In Zeiten wie diesen sollte man sich nur um die eigenen Angelegenheiten kümmern, ansonsten brachte man sich nur in Schwierigkeiten.

***

Montag, 9. April 1945, Lichtengraben im Lavanttal, Reichsgau Kärnten

Ich blieb stehen, ich konnte nicht mehr weiter und brauchte eine Rast. Jetzt war nichts mehr zu hören und da ich bereits weit mehr als eine Stunde unterwegs war, konnte ich ziemlich sicher sein, dass ich mich weit genug entfernt von dem Bauernhaus befand, von dem ich weggerannt war. Sie würden mich wahrscheinlich auch nicht mehr einholen können, dazu war ich schon zu weit weg.

Die Gegend hatte sich verändert, ich war weiter hinaufgekommen, der Wald war spärlicher geworden, öfters waren es nur mehr große Grashänge, die ich überquert hatte. Weil ich noch immer Angst hatte, von irgendjemandem gesehen zu werden, versuchte ich, an den Rändern des Waldes weiterzukommen und jetzt war ich auf einer kleinen Lichtung stehen geblieben. Ich war müde, legte mich ins Gras und dachte daran, wie diese Sache für mich begonnen hatte.

Ich war im Jänner 1930 in Hornstein im Gau Niederdonau geboren worden, war dort aufgewachsen und in die Schule gegangen. Mein Vater hatte im Ort eine Gastwirtschaft und eine dazugehörige Fleischhauerei besessen. Er war ein überzeugter Nationalsozialist gewesen und war im Jahre 1931 NSDAP-Mitglied geworden. Als Stützpunktleiter war er damit der Vertreter des Ortsgruppenleiters der NSDAP gewesen. Die Partei war später verboten, nach dem Anschluss Österreichs an das Deutsche Reich aber wieder aus der Illegalität geholt worden.

Mein Bruder, Johann, der um sieben Jahre älter als ich und mein großes Vorbild gewesen war, war 1941 zur Wehrmacht eingerückt. Seit 1943 hatten wir nichts mehr von ihm gehört, sein letzter Brief war im Februar 1943 gekommen. Jetzt war er an der Ostfront vermisst. Meine Mutter, die die politische Tätigkeit meines Vaters schon immer missbilligte, hatte sich die Augen ausgeweint. Mein Vater hatte bis dahin zu ihr immer nur gesagt: „Sei still, das verstehst du nicht!" Jetzt, wo sein Lieblingssohn Johann vermisst war, war auch er nicht mehr so überzeugt gewesen, dass seine Ideale die Richtigen waren. Manches Mal hatte ich von ihm gehört, immer sehr leise, „Scheiß-Krieg!" und „Diese Idioten, was geht uns denn Russland an?"

Im August 1944 waren ich und ein Freund als Helfer für eine Fliegerabwehrkanone ausgebildet worden. Von da an waren wir fast jeden Tag mit dem Fahrrad die wenigen Kilometer über Neufeld an der Leitha und Eggendorf nach Wiener Neustadt gefahren, wo wir bei einer Flak-Einheit an mehreren 8,8 Fliegerabwehrkanonen eingesetzt worden waren.

Es war eine harte Arbeit gewesen, die Munitionskästen, die wir schleppen mussten, waren schwer, auch das Laden der Kanonen war kein Honiglecken gewesen. Wiener Neustadt und seine Industrie waren regelmäßig und stark bombardiert worden, oft mehrmals am Tag. Ich war für mein Alter zwar groß und kräftig gebaut gewesen, aber der unbeschreibliche Lärm der Detonationen und die schwere Arbeit hatten sehr an meinen Kräften gezehrt.

Einige von uns hatten Wehrmachtsuniformen erhalten, aber auch die waren Mangelware gewesen und so hatte ich noch meine Zivilkleidung getragen.

Die Verpflegung hatte auch nicht immer funktioniert und ich war öfters hungrig gewesen und oft völlig erschöpft zurück nach Hause gekommen, wo meine Mutter sich jetzt auch um mich gesorgt hatte.

Sie hatte versucht, meinen Vater dazu zu bringen, seine Verbindungen einzusetzen, damit ich nicht zur Fliegerabwehr eingeteilt wurde, doch er hatte offensichtlich keine Möglichkeit, mich davor zu bewahren. „Er wird's schon überstehen" hatte er gesagt, wie zum Selbstschutz und scheinbar auch, um sich selbst zu beruhigen. Und meine Mutter hatte dann immer geweint.

An die an allen Ecken aufgeklebten und aufgemalten Parolen vom „Endsieg" hatte ohnedies keiner mehr geglaubt, es war einfach nicht darüber gesprochen worden. Nur die Parteibonzen hatten in ihren Durchhalteparolen bei jeder Gelegenheit darüber fabuliert, dass durch die neuen Wunderwaffen des Führers der „Endsieg" sicher war. Aber gesehen hatte sie noch keiner, die Wunderwaffen.

Ich hatte weggewollt von der Flak und irgendetwas anderes machen wollen und wusste es noch genau: Am Freitag, den 30. März, war ein SS-Obersturmbannführer mit zwei SS-Soldaten zu unserer Stellung gekommen. Wir waren gerade dabei gewesen, Munitionskisten für die 8,8 heranzuschleppen und aufzustapeln. Er war eine Weile dagestanden und hatte uns bei der Arbeit beobachtet.

Dann hatte er mich zu sich befohlen und mich mit „Sie" angesprochen:

„Wie heißen sie?"

Ich sagte ihm meinen Namen.

Er sah mir ins Gesicht, seine hellblauen Augen wirkten kalt, aber er wirkte nicht unfreundlich, als er mich fragte:

„Ist keine angenehme Arbeit?"

„Nein, Herr Obersturmbannführer, aber sie muss sein!"

Er sah hatte mich von oben bis unten angesehen, als würde er mich abmessen, dann hatte er gesagt: „Ich hätte da eine viel bessere Verwendung für Sie, ungefährlich und nicht so laut, kein Kampfeinsatz, nur einige Tage Arbeit, aber sehr gute Verpflegung, wäre das was für Sie?"

Ich war überrascht gewesen von dem Angebot, bevor ich etwas dazu hatte sagen können, sprach er weiter:

„Sie müssen nur den Mund halten, niemandem etwas davon erzählen, die Sache ist vertraulich! Also auch zu Hause nichts davon sagen, können Sie das?"

Er schien schon damit gerechnet zu haben, dass ich einverstanden war, als er fragte:

„Also, was ist, sind Sie dabei?" Ohne weiter zu überlegen sagte ich: „Jawohl, Herr Obersturmbannführer!"

„Gut, morgen gegen 10.00 Uhr hole ich Sie hier ab. Und halten Sie den Mund über die Sache!"

Das hatte schon wie ein Befehl geklungen, aber an dem Tag hatte ich mich schon darauf gefreut, jetzt von der Flak wegzukommen.

***

Montag, 9. April 1945, Lichtengraben im Lavanttal, Reichsgau Kärnten

Mein Rücken war vom Liegen im Gras jetzt nass geworden, mir war kalt und ich beschloss, weiterzugehen.

Ich überquerte eine freie Fläche, näherte mich dem gegenüberliegenden Waldrand und ging dann an diesem entlang, immer weiter, etwas bergauf. Ich blieb jetzt nicht stehen und versuchte mich nach Norden zu orientieren, oder zumindest in die Richtung, die ich für Norden hielt.

Es gab jetzt keinen Weg mehr und da der Waldrand eine Biegung machte, musste ich, um meine eingeschlagene Richtung beizubehalten, in den Wald hinein. Das war schwierig, denn auch hier fand ich keinen Weg, ich musste durch Gebüsch und Unterholz kriechen und erst nach einiger Zeit gab es dann festeren Waldboden mit großen, hohen Bäumen, aber dazwischen immer wieder umgestürzte Baumstämme. Einige Male ging es für kurze Zeit bergab, dann wieder, meist länger, bergauf. Es war mühsam hier weiterzukommen.

Ich war jetzt, seit meiner letzten kurzen Rast, schon wieder gut zwei Stunden unterwegs, aber der Wald schien hier unendlich groß zu sein, er nahm kein Ende und ich hatte gar keine Ahnung, wo ich mich befand.

Eines war sicher, ich war weit weg von meinem Fluchtpunkt. Dass man mich hier finden könnte, erschien mir unmöglich.

Aber jetzt war ich müde, meine Füße taten weh und deshalb setzte ich mich auf einen umgestürzten, großen, mit Moos bewachsenen Baumstamm. Der Boden war trocken und ich zog die Stiefel und Socken wieder aus, um die schmerzenden Füße zu begutachten. An den Zehen und Fersen hatte ich Blasen, die durch das Herumrutschen in den zu großen Stiefeln entstanden waren. Die Socken waren in den Schuhen nun fast trocken geworden, aber dort, wo die Blasen waren, tat es mir schon beim Ausziehen weh. Der kühle Moosboden war angenehm und ich blieb sitzen und begann darüber nachzudenken, wie ich nun wieder nach Hause kommen könnte. Irgendwie war ich dann wieder mit meinen Gedanken in Wiener Neustadt, an dem darauffolgenden Tag, nachdem mich der SS-Offizier angesprochen hatte.

***

Samstag, 31. März 1945, Wiener Neustadt, Reichsgau Niederdonau

Zu Hause hatte ich meinen Eltern gesagt, dass ich bei einem Kameraden von der Flak in Neudörfl übernachten würde, um mir die Rück- und Anfahrt mit dem Rad zu sparen. Mehr hatte ich ihnen nicht erzählt, sie mussten nicht wissen, was ich vorhatte, meine Mutter würde sich sonst noch mehr Sorgen machen.

Als ich an diesem Tag um 10.00 Uhr wieder zur Flak kam, waren der Offizier und auch ein zweiter SS-Mann schon da, sie hatten offensichtlich auf mich gewartet. Sie gaben mir ein Packpapier-Paket, in dem etwas Weiches war und sagten mir, ich möge mit ihnen kommen. Etwas entfernt wartete ein LKW, in dem ein Fahrer in SS-Uniform saß. Ich kletterte mit meinem Rucksack und dem Paket auf die überplante Ladefläche, der andere Soldat setzte sich neben mich, deutete auf das Paket und sagte: „Umziehen!" Ich war überrascht, doch er wiederholte: „Zieh dich um!"

In dem Paket waren eine feldgraue Uniformhose, eine graue Wehrmachtsbluse, ein grau-grüner Pullover, ein Koppel und ein Paar Stiefel mit Ledersohlen. Ich behielt meine Unterwäsche an, die Uniformhose, die Bluse und der Pullover passten. Nur die Stiefel waren mir viel zu groß, ich wollte meine Schuhe anbehalten, weil die mir passten und viel leichter und bequemer waren.

Der Soldat sah, dass ich zögerte, die schwereren und zu großen Stiefel anzuziehen, und sagte: „Anziehen! Die Schuhe kannst ja aufheben!"

Ich protestierte: „Aber die sind mir ja viel zu groß!" Er sah mich an und sagte: „Egal, die sind viel besser geeignet und besser zu groß als zu klein!"

Ich zog die Stiefel an und verpackte meine Wäsche und meine Schuhe in meinem Rucksack. Von zu Hause hatte ich noch ein zweites Paar Unterhosen, ein Hemd und Socken sowie die zwei Jausenbrote meiner Mutter mitgenommen, jetzt kamen die Klamotten und die Schuhe, die ich bis jetzt angehabt hatte, dazu und der Rucksack war voll.

Der LKW war losgefahren, aber ich konnte nicht sehen, wohin wir fuhren. Die Fahrt dauerte nicht sehr lange, der Wagen blieb stehen, wir kletterten heraus, ich sah mich um und konnte das Schild „St. Egyden am Steinfeld" lesen. Wir waren an der Bahnstation von St. Egyden angekommen. Ich kannte den Ort nicht, ich war noch nie hier gewesen und wusste nur, dass er im Süden von Wiener Neustadt lag, und die Bahnstation war etwas außerhalb des Ortes.

Der Obersturmbannführer ging voran, der Fahrer und der SS-Soldat mit mir in der Mitte folgten ihm. Es gab zwei Hauptgleise, die wir überqueren wollten, doch der Offizier hielt uns mit einer Handbewegung zurück, ein Zug donnerte vorbei. Erst dann konnte ich hinter den beiden Hauptgleisen ein Nebengleis sehen, auf dem eine dampfende Lokomotive und sechs Waggons standen. Der erste nach der Lokomotive war ein offener, niedriger Güterwagen, hinten mit einem Bremserhäuschen, auf der Ladefläche stand drohend ein schweres Maschinengewehr. Dann folgten drei Güterwagen mit geschlossenen Türen. Der vierte Wagen war ein Personenwaggon, dessen hintere Türe geöffnet war. Der letzte Waggon war wieder ein offener, niedriger Güterwagen mit einem hinteren Bremserhäuschen, er glich dem ersten nach der Lokomotive, auf der Ladefläche stand, auch wie vorne, ein schweres Maschinengewehr. Vor dem kurzen Zug standen einige mit Maschinenpistolen bewaffnete SS-Soldaten, auf den Güterwagen jeweils zwei bei den MGs und auch auf dem hinteren Plateau des Personenwagens am Ende des Zugs stand vor dem Eingang ein SS-Soldat, der eine Maschinenpistole umgehängt hatte. In der Ferne, aus der Richtung, in der Wiener Neustadt lag, war das dumpfe Rumpeln von Geschützfeuer zu hören.

Der Offizier ging mit uns auf den letzten Wagen zu, wurde von den Posten militärisch gegrüßt und wir bestiegen den vorletzten Waggon. Der Soldat mit der Maschinenpistole öffnete dem Offizier die Türe und ich konnte im Vorbeigehen sehen, dass es eine „Schmeisser"-MP war. Ich hatte mich schon immer für Rangabzeichen und Waffen interessiert und kannte diese Maschinenpistole von Bildern.

Im Waggon waren Abteile, in einigen saßen SS-Soldaten, in zwei anderen waren Munitionskisten aufgestapelt. Im hintersten rechten Abteil saßen fünf Soldaten in Wehrmachtsuniform, sie hatten in der Mitte des Abteils einen Koffer aufgestellt und spielten Karten. Einer von ihnen spielte nicht mit, er kiebitzte. Im gegenüberliegenden Abteil waren noch zwei Soldaten, die Wehrmachtsuniformen trugen. Die meisten von ihnen waren jünger, nur zwei waren etwas älter und keiner hatte eine Waffe. Aber ich war jetzt sicher der Jüngste. Der Soldat, der mich begleitete, quartierte mich bei den beiden ein, sagte „Gute Reise!" und verschwand.

Ich steckte meinen Rucksack ins Gepäcknetz und stellte mich den beiden vor. Sie waren älter und auch größer als ich und einer antwortete mit: „Ich bin der Hans und der da", er zeigte auf den anderen, „ist der Harald!" Ich machte es mir bequem und wir unterhielten uns über das Ziel dieser Reise. Aber die beiden wussten nicht mehr als ich, sie waren von ihrer Pionier-Kompanie zur SS abkommandiert worden. Ich fragte sie: „Hat irgendeiner von denen da vielleicht eine Ahnung, worum es geht?" Ich zeigte auf die Kartenspieler. Doch sie schüttelten nur den Kopf: „Nein, keiner weiß was!"

Es dauerte noch eine Stunde und ich wollte schon aufstehen, um im Freien ein paar Schritte machen zu können, wurde aber von Harald aufgehalten: „Nein, lass das, lieber nicht, die vordere Türe ist versperrt und der Posten an der hinteren lässt dich sicher nicht aussteigen. Bleib lieber da!" Ich gehorchte und nach ungefähr zwei weiteren Stunden, es war nun schon Nachmittag geworden, ging ein Ruck durch den Zug und er begann zu rollen.

„Na endlich geht's los!", sagte Hans und „Bis jetzt haben wir ja Glück gehabt!"

Ich wusste nicht, was er meinte und fragte: „Glück?"

„Na klar, wegen der Tiefflieger, wenn uns einer sieht, dann wird's eng!"

Der Zug fuhr mit mittlerer Geschwindigkeit Richtung Neunkirchen.

***

Dezember 1944, Budapest, Ungarn

Es wird Ordnung gemacht.

Ferenc Szálasi, das nazihörige neue Staatoberhaupt, hat soeben eine besonders schreckliche Episode des Holocaust abgeschlossen. 40.000 jüdische Frauen und Männer wurden in Budapest zusammengetrieben und zu Fuß in Marsch gesetzt, um sie bei Zwangsarbeiten jenseits der heutigen österreichischen Grenze einzusetzen. Tausende starben oder wurden erschossen, wenn sie nicht mehr weiterkonnten. 10.000 andere Juden wurden in der Stadt hingerichtet, ihre Leichen ließ man auf der Straße liegen oder warf sie in die Donau.

Zur Belohnung für die besonderen „Verdienste um die Mitwirkung an der Judenvernichtung" ernennt Szálasi den Gendarmen Árpád Toldy zum Leiter des Büros für Beschlagnahmungen, das dem Innenministerium untersteht und Finanzbeamte beschäftigt, und gibt ihm zunächst einmal den Auftrag, in Zirc nach dem Rechten zu sehen.

Dort findet Toldy ein überquellendes Lager und „insgesamt chaotische Zustände" vor. Er lässt auspacken, sortieren und neu verpacken. Zuerst die Kisten und Säcke aus den Banken: Geld kommt zu Geld, Goldbarren kommen zu Goldbarren, Silberbarren zu Silberbarren, Juwelen und Uhren, Pelze und Orientteppiche zu ihresgleichen. Am Ende türmt sich alles in neun Kategorien auf.

Als die Rote Armee weiter vordringt, ist das Depot in

Zirc gefährdet. Es muss geräumt werden. Noch im Dezember 1944 geht es los, weiter Richtung Westen, wo es die besseren Verstecke für das Vermögen gibt. Die ersten Transporte erreichen über Straße und Schiene ihr nächstes Ziel, das Brennberg heißt.[10]

Die Herrschaft des „Führers der ungarischen Nation" Szálasi dauert nur vier Monate. Brennberg ist inzwischen auch für ihn zur Station auf der Flucht vor der Roten Armee geworden. Die Schächte des dortigen Kohlebergwerks bieten den bestmöglichen Schutz vor Luftangriffen, die meisten Mineure sind treue Gefolgsleute – und die Grenze zum Dritten Reich ist nahe.

***

---

[10] Das Vermögen wird über Straße und Schiene transportiert. Die Fahrzeuge und Waggons treffen zwischen 16. Dezember 1944 und 1. Jänner 1945 in Brennberg/Brennbergbánya, knapp an der österreichischen Grenze (Burgenland) ein. Sabine Stehrer: „Der Goldzug", Wien 2006, S. 16

Montag, 9. April 1945, Lichtengraben im Lavanttal, Gau Kärnten

Mir war wieder kalt geworden, ich schreckte aus meinen Erinnerungen hoch, ich war nun schon mehr als eine halbe Stunde hier gesessen und es würde irgendwann dunkel werden, ich hatte nicht vor, hier im Wald zu übernachten, ich musste mir irgendwo eine Unterkunft suchen. Also zog ich vorsichtig meine Socken über meine Füße und dann noch vorsichtiger die Stiefel wieder an. Die Blasen taten weh und die ersten Schritte waren die Hölle, aber ich versuchte, die Zähne zusammenzubeißen und ging weiter. Nach einiger Zeit verspürte ich die Schmerzen zwar noch immer, aber nicht mehr ganz so arg.

Nach zwei mühsamen Stunden, ich hatte endlich den Wald und einige Wiesen überquert, war ich in den nächsten Wald gekommen, der aber etwas gepflegter war. Es gab einen schmalen Weg, dem ich folgte.

Es wurde schon langsam dämmrig und ich hatte noch immer nichts gefunden, wo ich hätte übernachten können. Dann hatte ich Glück und stand vor einer Waldhütte, sie erschien mir wie ein Wunder.

Aber die stabile Türe war mit einem Vorhängeschloss versperrt und ich konnte sie nicht öffnen. Ich ging um die Hütte herum und fand ein Holzfenster, das ich mit großer Mühe aufzwängte. Beim Hineinklettern zog ich mir einen

Schiefer in der linken Hand ein. Der schmerzte und jetzt taten mir nicht nur die Füße, sondern auch die Hand weh.

Der Innenraum war klein, aber geräumig. Es gab einen Tisch mit zwei Sesseln und an einer Wand eine längliche Holzkiste, die mit etwas Stroh bedeckt war. Ich fand einige Kerzen und Zündhölzer und konnte Licht machen.

An einem Kasten war durchzogener Speck aufgehängt und in einer Lade fand ich Besteck. Aber leider kein Brot. Ich hatte Hunger und machte mich mit einem Messer über den Speck her. Aber so ganz ohne Brot konnte ich nicht sehr viel davon essen und zu trinken hatte ich auch nichts.

Ich lutschte an meiner Hand und versuchte den Schiefer zu entfernen und nach elend langer Zeit gelang es mir, den Span herauszuziehen. Darüber zufrieden zog ich vorsichtig die Stiefel und die Socken aus, legte mich auf die Strohunterlage und vergaß auch nicht, wie jeden Abend, meine Uhr aufzuziehen. Ich war froh darüber, sie noch am Handgelenk und nicht im Bauernhaus abgenommen und in meinem Rucksack verstaut zu haben. Obwohl ich sehr müde war, konnte ich nicht sofort einschlafen und musste das Geschehene noch einmal in Gedanken an mir vorbeiziehen lassen.

***

Freitag, 8. Dezember 1944, Vézprem, Ungarn

Szálasi hat schon vor seinem Eintreffen in Brennberg einen „Goldzug" genehmigt. Der Goldschatz der ungarischen Nationalbank wurde zunächst nach Veszprém gebracht. Ein Gendarmeriekontingent von 30 Mann unter der Leitung des Hauptmanns Lajos Deme war zum Geleit abkommandiert. Der Zug wurde mit allen Leuten und dem Gold in Veszprém geladen und ist am 8. Dezember 1944 in Richtung Fertöboz abgefahren. Am Bahnhof von Fertöboz, ca. 10 km von Sopron (Ödenburg) entfernt, steht er dann auf einem Abstellgleis bis zum 23. Jänner. Einzelne Coupés werden als Tarnung zu Schlafwaggons umgebaut, auch das Heizproblem kann gelöst werden. Schon sind die Russen vor Gödöllö gestanden und während amerikanische Bomber die Züge beschossen haben, wird die kostbare Fracht verladen und Frauen, Kinder und Habseligkeiten zwischen Barren von Gold mithilfe von ungarischen Gendarmen unter Stefan Kartals Leitung in einer spektakulären Aktion nach Westen gebracht, und zwar über die österreichisch[11]-ungarische Grenze bei Loipersbach/Schattendorf nahe Wiener Neustadt.[12] Und dann weiter über die Enns, die Grenze der späteren amerikanischen Zone.

---

[11] Österreich-Bezeichnung 1939–1945 = „Ostmark".
[12] Das genaue Abfahrtsdatum aus Sopron und das genaue Datum, an dem der Zug die ungarische Grenze zur Ostmark bei Loipersdorf/Schattendorf passierte, ist nicht bekannt.

Am 25. Jänner kommt der Zug der ungarischen Nationalbank mit ca. 60 Waggons und einer kostbaren Fracht mit 600 Goldkisten zu je 55 kg und 33.000 kg Münzgeld in Spital/Pyhrn an.[13]

Der gesamte Goldschatz der Ungarischen Nationalbank wird in der Gruft der Stiftskirche eingelagert.[14] Die 600 Kisten werden vom Bahnhof mit Schlitten zur Kirche gebracht und durch das nördliche Gruftfenster in die Krypta hinabgelassen. Das Fenster wird vermauert, am Eingang der Gruft postieren sich ungarische Wachen.

Am 6. Mai erreichen US-Truppen Spital. Sie ließen den Goldschatz am 15. Mai nach Frankfurt/Main bringen. 1946 wurde er den Ungarn zurückgegeben.

Die Milliarden Pengö – Ungarns damalige Währung –, die in Spital in der Gruft der Stiftskirche lagerten, waren durch die Hyperinflation unterdessen wertlos geworden. Als Ungarn 1946 den Forint einführte, betrug der „Wechselkurs" 400 Quadrilliarden Pengö zu einem Forint.

Die Amerikaner gaben den Befehl, die Banknoten zu verbrennen. Im alten Spitaler Schwimmbad loderte daraufhin ein milliardenschweres Lagerfeuer. Späteren Berichten zufolge soll es mehr als zwei Wochen gedauert haben, bis alles Geld zu Asche zerfallen war.[15]

***

---

[13] Aus: „Nach Golde drängt, am Golde hängt doch alles ..." von Matthias Settele
[14] „Forum Oberösterreichische Geschichte" – virtuelles Museum OÖ
[15] „OÖ-Nachrichten" v. 17.4.2015.

Samstag, 31. März 1945, Südbahnstrecke zwischen Ternitz und Semmering, Reichsgau Niederdonau

Wir passierten Neunkirchen und der Zug rollte weiter Richtung Semmering. Plötzlich und unvermittelt hielt er in Ternitz nach starkem Bremsen mit einem Ruck, genau im Ausfahrtsbereich des Bahnhofs, neben einer Lagerhalle mit einer Rampe, an der die Gleise vorbeiliefen. Jetzt, wo das laute Fahrgeräusch des Zuges nur mehr vom Geräusch der dampfenden Lokomotive abgelöst wurde, hörten wir Motorenlärm. Im nächsten Moment donnerten zwei Flugzeug in geringer Höhe sehr laut über den Bahnhof.

Die hintere Türe wurde aufgerissen und jemand brüllte „Alles raus und in Deckung, die kommen wieder!" in den Waggon.

Die zwei SS-Männer, die knapp vor der Türe in einem Abteil geschlafen hatten, waren blitzschnell bei der Türe und wir, die weiter hinten im Waggon waren, rannten ihnen nach, raus aus dem Wagen und weg von den Schienen, etwa 20 Meter entfernt war eine Reihe von Büschen, dahinter nahmen wir, flach am Bauch liegend, Deckung.

Die Flugzeuge kamen wieder, diesmal aus Richtung Neunkirchen, ich konnte sie schon von Weitem sehen. Es ging alles sehr schnell. Hinter dem Bahnhof, in der Richtung, aus der die Flugzeuge auf uns zu flogen, plötzlich eine heftige Explosion und dann brach bei uns die Hölle los, sie schossen im Anflug mit ihren Maschinengewehren auf das Lagerhaus und auf den daneben stehenden Zug. Die beiden schweren Maschinengewehre am Anfang und am Ende des Zuges erwiderten den Beschuss.

Ich presste mich neben meinen neuen Kameraden fest ins Gras hinter den Büschen. Der Lärm der Motoren über uns und das hämmernde Stakkato der feuernden Maschinengewehre brauste über uns hinweg wie eine brüllende, unsichtbare Riesenwelle, begleitet von pfeifenden, zirpenden Geräuschen, die mit Schnalzen rund um uns endeten. Dann wurde es wieder ruhig.

Ich hatte den Atem angehalten und hob jetzt den Kopf. Kaum halb aufgeblickt, wollte ich mich aufrichten, doch jemand brüllte „Unten bleiben, unten bleiben!"

Sie kamen noch einmal, dieses Mal aus der anderen Richtung und dieses Mal erwischten sie die Lokomotive. Ein Krachen, Scheppern, ein lautes Pfauchen, die Lok machte einen Ruck, dann explodierte der Kessel, Metallstücke flogen herum, danach wurde es langsam still. Die beiden Flugzeuge entfernten sich, das Geräusch ihrer Motoren wurde leiser.

Wir blieben noch einige Sekunden wie erstarrt liegen, dann erhoben sich die Ersten, auch ich stand auf und sah mich um. Meine Ohren dröhnten und die ganze Szene sah irgendwie unwirklich aus.

Das Dach am Ende des Lagerhauses brannte, von der Lokomotive war nur mehr das Fahrgestell mit den Rädern da und das lag quer über dem Gleis. Die fünf Waggons standen nun etwas entfernt von dem Wrack der Lok, sahen aber unbeschädigt aus. Ich konnte sehen, dass einer der beiden SS-Soldaten, die mit dem Maschinengewehr auf dem Wagen hinter der Lokomotive geschossen hatten, verletzt worden war, er erhielt einen Kopfverband. Und die vordere Achse des Güterwagens stand neben den Schienen.

Wir erhoben uns, aber nicht alle, der Kiebitz von den Kartenspielern lag noch immer am Bauch, in der Mitte seines Rückens ein Blutfleck, er rührte sich nicht. Einer der SS-Männer drehte den Körper um und schüttelte den Kopf in die Richtung des Offiziers, der sich gerade erhoben hatte und Gras von seiner Uniform abstreifte: „Tot, Herr Obersturmbannführer". Ich hatte noch nie einen Toten aus der Nähe gesehen und stand wie versteinert da.

Wir waren nur mehr sieben.

***

Donnerstag, 21. Dezember 1944, Brennberg/ Brennbergbánya, Ungarn

Die Ankunft des Zugs wird vom Werkstättenleiter der Brennberger Kohlengrube Ludwig Wedits beobachtet. „Es ist so wahr, als Gott unter uns ist", schwört er. „Wir waren ganz erstaunt, dass die schwere Lok (…) die engen Bögen der Bahnstrecke nicht zerdrückte. Die Wagen waren plombiert und an beiden Seiten von Finanzbeamten bewacht. Die Garnitur wurde auf das Gleis I vor das Gebäude der Grubendirektion gestellt. Die Ladung der Wagen wurde in das Badegebäude der Kohlengrube gebracht und von Gendarmen bewacht."[16]

Im Badegebäude setzen Toldy's Männer fort, was sie aus Óbánya kennen. Wieder wird ausgepackt, sortiert, neu verpackt. Gold, Silber und Juwelen werden in eigens hergestellte Holzkisten gefüllt. Kürzel weisen auf den Inhalt hin. „Ar." steht für massive Goldobjekte, Armbänder, Halsketten und Zigarettenetuis. „Ar. o." für goldene Herren- und Damen-Armbanduhren sowie Taschenuhren. „Ar. éksz." für Goldschmuck mit Edelsteinen. „Br." für Schmuck mit Diamanten, Edelsteinen, Perlen, „Ar. p" für Goldbarren und Goldmünzen. 105 Kisten werden befüllt:

---

[16] Ludwig Wedits lässt seine Erinnerungen an die letzten Kriegstage 1944 im Jahr 1994 aufschreiben. Seine Notizen gelangen an den „Stern". Die Lok beschreibt Wedits als eine Schnellzug-Dampflok der Ungarischen Staatsbahnen der Reihe 328.

drei Kisten mit Goldbarren und Goldmünzen, 41 Kisten mit Goldobjekten, 35 Kisten mit Uhren, 18 Kisten mit Goldschmuck, acht Kisten mit Schmuck. In zwei Schatullen kommen die wertvollsten Pretiosen – Brillanten, Juwelen und Perlen.[17]

Das Auspacken, Sortieren und Umpacken ist beschwerlich. Noch beschwerlicher wird es, als immer wieder neues Gut aus Sammelstellen eintrifft.

Inzwischen ist es März 1945 geworden, ein Waggon voller Vermögen aus dem Depot der Bank in Szombathely trifft ein. Die Männer um Toldy schaffen es nicht mehr, den Waggon auszuladen. Die Rote Armee ist noch weiter vorgedrungen und steht schon vor Brennbergs Toren.

Toldy beschließt: Das Vermögen soll rasch weiter in den Westen transportiert werden.[18],[19]

***

---

[17] Gábor Kádár, Zoltán Vági: „Holocaust Era Looted Assets Of Hungarian Jewry", Budapest 2000, S. 16
[18] Ebenda, S. 26
[19] Sabine Stehrer: „Der Goldzug", Wien 2006, S. 18

Mittwoch, 28. März 1945, Berlin, Deutsches Reich

Die deutsche Reichsregierung schließt mit der Königlichen Ungarischen Regierung die „Vereinbarung über die Verbringung ungarischen Staatsvermögens nach Deutschland" ab.

„Auf Ersuchen der Königlich Ungarischen Regierung erklärt sich die Deutsche Reichsregierung bereit, dem ungarischen Staat gehörende Werte, vornehmlich Edelmetalle, Orientteppiche und Pelzwaren, insgesamt etwa 50 Eisenbahnwaggons, einschließlich für die Bewachung erforderlichen Personals nebst Familienangehörigen in Deutschland so lange Unterkunft zu gewähren, als es die Kriegsverhältnisse erfordern, und danach ihre Rückführung nach Ungarn zuzulassen.

1. Die Verlagerung erfolgt gemäß den allgemeinen zwischen der Deutschen Reichsregierung und der Königlich Ungarischen Regierung vereinbarten oder noch zu vereinbarenden Bestimmungen über die Verlagerung staatlicher und anderer Organisationen sowie über die Aufnahme von Flüchtlingen im Reich. Dies gilt insbesondere für die Versorgung und finanzielle Ausstattung des Verwaltungspersonals und ihrer Angehörigen.
2. An den Eigentumsverhältnissen der eingebrachten Werte tritt durch die Verlagerung keine Änderung ein.

3. Die Deutsche Reichsregierung erklärt sich bereit, den Transport, die Verlagerung und Unterbringung der Werte nach Maßgabe der vorhandenen Möglichkeiten weitgehendst zu unterstützen."[20]

Die Volksdeutsche Mittelstelle des SS-Sonderkommandos Südost gibt den Goldzügen als Ziel „Salzkammergut – Hallein" vor.

Die Gegend ist Teil der „Alpenfestung", die das NS-Regime den Alliierten zur Abschreckung als „uneinnehmbares Bollwerk" darstellt, das sich in den Alpen erstreckt und das Führerhauptquartier am Obersalzberg in Berchtesgaden als Mittelpunkt hat. Die Propaganda phantasiert geheime Verteidigungsanlagen aller Art herbei, unterirdische bombensichere Fabriken, riesige Betonbunker. Die Schilderungen wirken glaubhaft und auch die Pfeilkreuzler denken, die Alpenfestung könnte nach dem Zusammenbruch ihre Regimes der ideale Zufluchtsort für sie und das geraubte Vermögen sein.[21]

Ehe es losgehen kann, muss noch eine neue Lok besorgt werden. Gegen fünf bis zehn Prozent des Frachtwerts bietet die SS dem ungarischen Innenminister Gábor

---

[20] US National Archives (US-NA): Records of United States Occupation Headquarters, World War II – Werfen File.
[21] Ronald W. Zweig: „The Gold Train", New York 2002. Zweig vertritt die These, das Árpád Toldy mit Wilhelm Höttl kooperierte. Höttl war während des NS-Regimes Leiter des deutschen Auslandsgeheimdienstes in Südosteuropa und wurde nach dem Krieg bei den Nürnberger Prozessen als Zeuge einvernommen, er soll mitbestimmt haben, dass die Goldzug-Transporte in das Salzkammergut und Richtung Hallein gingen.

Vajna und Toldy Hilfe an. Nach einigem Verhandeln wird man sich einig.[22,23]

Zwei Tage nach der Erteilung des Marschbefehls ist die gewünschte Maschine da.

Stabsoberst József Markowits und Leutnant Miklas Csilághy haben schon ungeduldig gewartet. Die beiden Mitläufer des Szálasi-Regimes sind ebenfalls auf der Flucht vor der Roten Armee. Ihr persönliches Hab und Gut, Hausrat und Kleidung wollen sie im Goldzug in Sicherheit bringen. Markowits ist mit Familie unterwegs und macht sich im Auto auf den Weg nach Hallein.[24]

***

---

[22] Gábor Kádár, Zoltán Vági: „Holocaust Era Looted Assets Of Hungarian Jewry", Budapest 2000, S. 27.
Welche Summe tatsächlich am Ende bezahlt wird, weiß man nicht.
[23] Sabine Stehrer, „Der Goldzug", Wien 2006, S. 19.
[24] Sabine Stehrer, „Der Goldzug", Wien 2006, S. 19.

Dienstag, 10. April 1945, Lavanttal, Reichsgau Kärnten

Auf der harten, nur mit Stroh bedeckten Holzkiste hatte ich schlecht geschlafen und wachte, obwohl es in der Hütte dunkel war, zeitig auf. Ich öffnete das Fenster, draußen war es hell und meine Uhr zeigte mir an, dass es knapp vor sieben Uhr war. Ich entschloss mich, keine Zeit zu vertrödeln und aufzubrechen, es hätte ja auch jemand kommen und mich in der Hütte finden können. Außerdem, je schneller ich weg war, desto besser, denn das aufgebrochene Fenster würde entdeckt werden, es war nur die Frage, wann.

Ich schnitt noch ein Stück Speck ab, steckte es ein und verließ die Hütte genau so, wie ich in sie eingedrungen war, durch das aufgezwängte und jetzt angebrochene Fenster. Doch dieses Mal achtete ich darauf, mir nicht noch einmal einen Holzspan einzuziehen. Ich versuchte dann, das Fenster von außen zuzudrücken, was mir aber nicht wirklich gelang, man würde bald sehen, dass jemand drinnen gewesen war. Ich hatte Durst, wahrscheinlich auch von dem gesalzenen Speck und nahm mir vor, beim nächsten Bach oder Wasser, welches ich finden würde, zu trinken. Ich ging weiter, in die gleiche Richtung wie schon gestern, nach Norden, aber ganz sicher war ich hierbei wiederum nicht.

Der Weg war mühsam, ich kam wieder nur langsam

voran, die aufgewetzten Blasen an meinen Füßen taten weh und ich musste einige Male stehen bleiben.

Dann überquerte der Weg einen kleinen Bach und ich schöpfte einige Male mit der Hand kaltes, klares Wasser und löschte meinen Durst, bis ich nicht mehr trinken konnte.

Während ich weiterging, überlegte ich, dass es, würde ich wieder in bewohntes Gebiet kommen, nicht sehr gescheit wäre, die Wehrmachtsuniform anzubehalten, denn ich könnte von Soldaten oder gar der SS aufgehalten und für einen Deserteur gehalten werden. Ich hatte ja keine Papiere bei mir. Mein Ausweis war mit meinen Zivilklamotten in meinem Rucksack im Bauernhaus geblieben. In Uniform und ohne Ausweispapiere - die würden mich erschießen. Also musste ich mir schnellstens zivile Klamotten besorgen, um nicht aufzufallen. Woher, das war die Frage.

Nach weiteren zwei Stunden hatte ich den Bergrücken überquert, jetzt ging es andauernd bergab, aber dann wieder bergauf. Der Wald schien nicht enden zu wollen, es war überwiegend Nadelwald, mit nur wenigen, jetzt im Winter kahlen Laubbäumen und es gab wiederum keine Wege. Ich musste einige Male wegen großer Dornengebüsche Umwege machen, dann wieder wegen Geröllhängen, die ich mit meinen Stiefeln nicht begehen konnte. In einem anderen Teil des Waldes roch es feucht und modrig, er war so verwildert, dass es unmöglich schien, ihn zu durchqueren und zahllose Stämme von umgefallenen Bäumen machten ein Weiterkommen sehr schwer. Es schien mir, als wäre ich in einen dunklen, von bösen Mächten verzauberten Geisterwald geraten. Ich blieb mehrmals an Dornengebüsch hängen, stolperte und fiel hin.

Als ich über einen gefallenen Baumstamm kletterte, der mit Moos überzogen war, aber noch fest ausgesehen hatte, brach dieser unter meinem Gewicht ein und ich fiel wieder hin. Einige der Stämme der alten Bäume ragten, obwohl trocken und morsch, wie ein stummer Schrei nach oben.

Ein unheimlicher Ort war das und nur den Stiefeln verdankte ich es jetzt, dass ich mir nicht die Füße verletzte. Ich überquerte zwei Bäche, der Boden war feucht, weich und wieder glitschig, jeder Schritt fiel mir schwer. Meine Jacke, meine Hose und meine Hände waren dreckig. Ich war müde und die offenen Blasen an den Fersen taten mir weh.

Auf einem morschen Baumstumpf setzte ich mich hin und rastete ein wenig. Ich fragte mich, wie es nun weitergehen würde. Dann musste ich an den toten Kartenkiebitz denken und daran, was in Ternitz nach dem Fliegerangriff geschehen war.

***

Freitag, 30. März 1945, Brennberg/Brennbergbánya, Ungarn

Auf dem Gleis, das direkt am Grubengebäude vorbeiführt, steht ein Zug. Zwei Männer gehen die Waggons entlang, sie rauchen. Árpád Toldy und Lászlo Avar.

Avar war früher Bürgermeister des Städtchens Senta in der Voijvodina, Finanzbeamter und einer der wenigen Mitarbeiter Toldys im Büro für Beschlagnahmungen in Budapest, die nicht der faschistischen Pfeilkreuzler-Partei angehörten. Avar weiß ungefähr, was sich in dem Zug befindet. Er hat beobachtet, wie auf Befehl Toldys Säcke mit Gold, Silber und Diamanten geöffnet wurden, um den Inhalt zu sortieren, und als das Vermögen auf den Zug geladen wurde, kam ihm der Name „Goldzug" in den Sinn. Die wertvolle Fracht macht ihm Angst.

„In ein paar Minuten geht es los", sagt Toldy. „Ich fahre mit meinen Leuten voraus und du weißt, was du zu tun hast, du machst das schon. Wir sehen uns in Hallein." Avar nickt: „Zu Befehl, ja."

Der Zug besteht aus 46 Güterwaggons. 24 davon sind mit Raubgut gefüllt. Die übrigen Waggons, wahrscheinlich ebenfalls Güterwaggons, teilt sich die Wachmannschaft – Eisenbahner, Finanzbeamte, Gendarmen, Polizisten – mit

Zivilpersonen. Unter den 130 bis 200 Passagieren sind auch ein Gutachter und ein Schätzmeister.[25,26]

Auf Befehl Avars, der wissen will, was er von Toldy übernommen hat, beginnen sie gleich nach Abfahrt des Zuges, ein Bestandsverzeichnis der Ladung anzulegen. Es sind dies 52 Kisten mit Gold, Silber, Goldstaub, Juwelen und Münzen, Bargeld in neuen verschiedenen Währungen, 1560 Kisten mit Silberwaren, eine Sammlung aus Györ mit rund 100 Bildern, Kupferstichen, Radierungen, weiters Bilder und Kunstgegenstände. 3000 Orientteppiche, drei Tonnen Kandelaber und Kultusgegenstände aus Haushalten und Synagogen, Porzellan aus Meißen, Dresden und China in großen Mengen, Kristallwaren, Kelche und Kreuze, 100 Violinen, Leinen, Hunderte edle Pelze, wertvolle Spitze, Briefmarkensammlungen, Kameras, Grammophone, Taschenuhren, 10.000 Armbanduhren, Hunderte Schirme und Stöcke und das beschlagnahmte Vermögen aus der Bank von Szombathely.[27]

Bei Loipersdorf/Schattendorf geht es über die österreichisch-ungarische Grenze und weiter nach Wiener Neustadt. Der Zug kommt nur sehr langsam voran. Ein Radschaden wird festgestellt, ein Waggon muss zurückgelassen werden. Avar befiehlt, die Ladung umzupacken und bei der Gelegenheit die Kisten mit dem Gold und Silber auf mehrere Waggons zu verteilen, um das Risiko zu verkleinern, bei möglichen Treffern durch Bomber der Alli-

---

[25] Die Angaben zur Anzahl der Passagiere schwanken zwischen 130 und 230.
[26] Sabine Stehrer: „Der Goldzug", Wien 2006, S. 20
[27] US National Archives (US-NA): Records of United States Occupation Headquarters, World War II – Werfen File.

ierten oder bei Raubüberfällen gleich die gesamte wertvolle Fracht auf einmal zu verlieren.[28]

***

---

[28] US National Archives (US-NA): Records of United States Occupation Headquarters, World War II – Werfen File.

Samstag, 31. März 1945, Südbahnstrecke zwischen Ternitz und Semmering, Reichsgau Niederdonau

Es wurde nicht lange gefackelt, der Tote wurde einfach liegengelassen. Für den SS-Offizier war es offensichtlich wichtiger, den Zug rasch wieder zum Fahren zu bringen. Dazu musste eine andere Lok her.

Der Obersturmbannführer beorderte zwei SS-Soldaten zu sich, sprach mit ihnen, deutete auf den Rest der Lok und den Güterwaggon, dessen vordere Räder neben den Schienen standen, und gab ihnen den Befehl: „Bringt das in Ordnung, stellt den Wagen wieder auf die Schienen!" Dann drehte er sich um und befahl zwei anderen Soldaten sowie Harald und mir: „Mitkommen!"

Wir gingen hinter das Lagerhaus, dessen Dach noch immer brannte. Dahinter befand sich ein Abstellgleis, das mit einem Prellbock endete. Unmittelbar vor dem Prellbock stand ein etwas seltsam aussehendes Gefährt, es war eine Draisine, die über einen langen Hebel handbetrieben wurde. Die Plattform bot Platz für vier bis fünf Männer und es schien mühsam, das schwere Gerät zu dem Gleis zu bringen, das zurückführte, also wurden dazu noch die vier Kartenspieler und der Lokführer herangeholt und gemeinsam gelang es uns, das Gerät auf die Schienen zu stellen. Harald und ich mussten nun ganz schön arbeiten, um das Ding mithilfe der Fortbewegungsstange in Fahrt zu bringen und es auch im Rollen zu halten. Der Offizier, die beiden Soldaten und der Lokführer standen hinter uns und rührten keinen Finger. „Schneller!", befahl der Obersturmbannführer und wir kamen auf der kurzen Fahrt zurück nach Neunkirchen ganz schön ins Schwitzen.

Im Bahnhof Neunkirchen befahl der Offizier knapp: „Absteigen und mitkommen!"

Er ging vor uns zum Bahnhofsvorstand. Der sah den SS-Offizier und grüßte mit „Heil Hitler". Das schien dem Offizier aber nicht so wichtig zu sein, er sagte nur: „Wir brauchen eine Lokomotive, sofort!"

„Eine Lokomotive?", fragte der Eisenbahner, als hätte ihn jemand aufgefordert, Marsmenschen herbeizuschaffen.

„Sind sie schwerhörig, Mann?" Der Obersturmbannführer verlor die Geduld. „Irgendeine Lokomotive, aber rasch, sonst …!" Er griff an seinen Pistolengriff und die beiden Soldaten richteten die Läufe ihrer Maschinenpistolen auf den Eisenbahner.

„Ja, aber ich habe ja keine hier, also eigentlich …"

„Was, eigentlich?", fragte ihn der Offizier noch drohender.

„Na ja, die, die wir da noch zum Verschieben haben, ist für …"

„Das interessiert mich nicht, wo ist sie?"

Der Eisenbahner stotterte: „Die, die steht da vorne, aber …"

„Halten Sie Ihre Klappe, Sie Idiot, und zeigen Sie uns die Lok!"

Der eingeschüchterte Mann zeigte uns 100 Meter weiter vorne auf einem Nebengleis eine Verschublok.

Wir gingen näher und der Offizier fragte den Lokführer: „Wird das mit der funktionieren?"

„Jawohl, Herr Obersturmbannführer, die fährt, zwar vielleicht ein bisserl langsamer, aber wir haben ja nur sechs Waggons!", antwortete der Lokführer.

„Aber sind die Waggons in Ordnung und können Sie sie an diese Lok ankoppeln?" Der Offizier wollte ganz sicher sein.

„Ja, das geht, wir haben Glück gehabt, ich hab' gesehen, es hat nur die Kupplung von der Lok abgefetzt, aber die Waggons sind in Ordnung!"

Der Obersturmbannführer sah sich um. Hinter der Lok stand ein geschlossener Lastwaggon mit einem Bremserhäuschen am Ende, alleine und nicht an die Lok angekoppelt.

„Ist der leer?", fragte der Offizier.

Der Eisenbahner nickte und einer der Soldaten zog die Seitentüre des leeren Waggons auf.

„Gut, den Waggon ankoppeln und dann zurück!" Der Obersturmbannführer war zufrieden.

Der eingeschüchterte Eisenbahner wurde weggewinkt und die Draisine blieb als Hindernis auf dem Gleis stehen, andere Züge waren dem Obersturmbannführer offensichtlich egal.

Es dauerte fast eine halbe Stunde, bis die Lokomotive fahrbereit war. Der Offizier blickte mehrmals ungeduldig auf seine Armbanduhr, aber er sagte nichts. Ich verstand nicht, was er mit dem leeren Waggon wollte, aber der wurde an die Lok angekoppelt.

In der Ferne war wieder grollendes, donnerndes Geschützfeuer zu hören. Es kam wieder aus der Richtung von Wiener Neustadt.

Dann bestiegen wir die Lok, Harald und ich mussten

uns draußen auf dem Vorbau einen Standplatz suchen, einer der beiden Soldaten stand auf einem Trittbrett, der andere bestieg den angekoppelten Lastwaggon und der Offizier fuhr mit dem Lokführer im Führerstand mit.

Es dauerte nicht lange, bis wir wieder zurück in Ternitz waren, und die verbliebenen SS-Soldaten nahmen es für ganz selbstverständlich, dass wir mit einer Lokomotive zurückkamen. Der vordere Lastwaggon mit dem Maschinengewehr stand bereits wieder mit allen Rädern auf den Schienen. Der mitgebrachte Lastwaggon wurde als letzter Waggon angekoppelt und dann setzte sich der Zug mit der neuen Lok wiederum Richtung Semmering in Bewegung.

***

Freitag, 30. März 1945, Bahnstrecke Loipersbach/ Schattendorf Richtung Wiener Neustadt, Reichsgau Niederdonau

Während die Ungarn die Ladung im Zug umpacken, werden die Lok und der deutsche Lokführer samt seiner Mannschaft zu einem anderen Ort beordert. Man bittet einheimische Eisenbahner um Hilfe. Sie verweigern zunächst. Aber dann tut Avar, womit er schon beim Raubüberfall in Brennberg Erfolg gehabt hat: bestechen. Und mit Uhren und ein paar Flaschen Rum sind auch diese Männer zu gewinnen. Sie führen ihn sogar zur Wohnung des Bahnhofsvorstands, der nach einigem Verhandeln eine neue Lok für den Goldzug beschafft. Die Fahrt kann weitergehen.[29]

***

---

[29] US National Archives (US-NA): Records of United States Occupation Headquarters, World War II – Werfen File.

Dienstag, 10. April 1945, Grenze zwischen Reichsgau Steiermark und Reichsgau Kärnten

Ich war nun schon sehr müde, einige Stunden unterwegs, und jetzt, nachdem es wieder längere Zeit bergab gegangen war, stand ich an einem Waldrand und sah in einiger Entfernung, etwas tiefer gelegen, einen Bauernhof, an dem ein großer, grauer Anbau zu sehen war. Daneben, einige Meter entfernt, eine dunkle Holzscheune. Der Rauchfang des Hauses rauchte. Ich schlich mich etwas näher heran, blieb aber immer unter den Bäumen des Waldrandes. Und dann bemerkte ich den Hund. Es war ein Schäferhund, der aus der Scheune herausgekommen war und nun still stehend in meine Richtung schaute. Ich blieb ganz ruhig, bewegte mich nicht und nach einiger Zeit drehte der Hund seinen Kopf wieder in Richtung des Hauses und ging dann wieder in die Scheune zurück. Er hatte mich nicht bemerkt, aber wenn ich näherkommen würde, dann würde er sicher anschlagen.

Wir hatten zu Hause auch einen Schäferhund, der war sehr wachsam und meldete laut, wenn jemand kam. Er war mein Liebling und freute sich immer ganz besonders, wenn ich nach Hause kam.

Ich entschied mich nach kurzer Überlegung, über den Hang zu dem Haus hinunterzugehen. Ich war durstig und hatte Hunger, vielleicht würde ich bei dem Bauern etwas zu essen und zu trinken bekommen. Der Hund war für mich kein Problem, ich fürchtete mich nicht vor ihm.

Als ich ungefähr 50 Meter vom Haus entfernt war, kam der Hund aus der Scheune, sah mich und bellte laut. Ich ging weiter und als ich knapp vor dem Haus war, öffnete sich die Haustüre und eine Frau, die eine grün-grau karierte Schürze umgebunden hatte, kam heraus. Sie sah in meine Richtung und befahl dann dem Hund: „Aus, Rex, aus, Platz!" Der Hund gehorchte ihr.

Ich sagte: „Guten Tag"! Sie musterte mich und antwortete dann auch mit „Guten Tag!", fragte aber dann sofort: „Was willst du hier?"

Jetzt kam ich drauf, dass ich eigentlich nicht wusste, was ich sagen sollte, und daher zögerte ich mit meiner Antwort und sagte: „Vielleicht können Sie mir bitte sagen, wo ich hier bin?". Ich bückte mich zu dem Hund, der nähergekommen war und mich argwöhnisch beobachtete. Ich streckte ihm die offene Hand hin und er kam noch näher und schnüffelte an ihr. Langsam und vorsichtig legte ich ihm die Hand auf den Kopf und begann ihn zu streicheln. Er ließ es geschehen und wedelte kurz mit seinem Schwanz. Dann drehte er sich um und ging wieder ein Stück von mir weg.

Sie beobachtete mich und sagte: „Das hier ist der ‚Hinterbergerhof' und woher kommst du?"

Sie hatte bemerkt, dass ich zwar eine Wehrmachtsuniform trug, aber keine Waffe und auch keinen Wehrmachtsrucksack hatte.

Ich deutete auf den Wald hinter mir und sagte: „Ich komme von da hinter dem Berg und, und ich …, ich hab' mich verlaufen!" Ich konnte ihr ja nicht sagen, dass ich auf der Flucht war.

„Und jetzt weiß ich nicht mehr, wo ich bin!"

„Na schön, komm einmal herein!" Sie hatte mich als ungefährlich eingestuft.

Ich folgte ihr ins Haus in die Bauernstube, die sehr gemütlich mit einer Sitzecke aus dunklem Holz und einem Herrgottswinkel darüber eingerichtet war. Es war angenehm warm hier, der Herd heizte den Raum.

„Setz dich!" Ich setzte mich an den Stubentisch und sie fragte mich: „Wie alt bist du und woher kommst du?"

„Ich bin in Hornstein im Gau Niederdonau zu Hause und ich bin 15 Jahre alt." Ich hatte beschlossen, nicht zu lügen und mich älter zu machen. Sie hätte das wahrscheinlich bemerkt, sie ähnelte ein wenig meiner Mutter.

„Hast du Hunger?"

Ich nickte und sie stellte mir einen Teller mit Suppe hin. Es war eine gute, eingemachte Brennnessel-Suppe. Ich hatte seit zwei Tagen nichts Warmes gegessen und im Nu war der Teller leer. Sie gab noch einmal zwei volle Schöpfer in den Teller, auch das hatte ich bald weggeputzt. Dann bekam ich zwei Scheiben dunkles Brot und etwas Käse. Gott sei Dank keinen Speck, davon hatte ich vorerst genug. Zwei Gläser mit Milch und dann war ich satt, richtig satt.

Sie fragte mich, warum ich hier war, und ich antwortete, dass ich zu einem Arbeitseinsatz gekommen war und mich dabei im Wald verirrt hatte, aber jetzt so schnell als möglich wieder zurück nach Hause wollte und dazu andere Klamotten gut wären. Sie merkte natürlich, dass ich in meinem kurzen Bericht etwas weggelassen hatte, aber auch, dass ich nicht mehr darüber erzählen wollte, und fragte nicht mehr weiter. Ich erfuhr, dass der Hinterbergerhof zur steirischen Gemeinde Hirschegg gehörte.

Sie sah mich an und meinte:

„Du schaust müde aus, wenn du willst, kannst du heute hier bleiben, es wird bald dunkel, wir haben noch eine Kammer zum Schlafen für dich und wenn du morgen weitergehst, machst du nichts falsch!"

Sie hatte recht, ich war todmüde, ich hatte in der Hütte auf der Holzbank schlecht geschlafen und war stundenlang durch dichten Wald mit dornigem Unterholz gekrochen. Ich hatte jetzt zwar keinen Hunger mehr, aber meine Füße taten weh und so bedankte ich mich bei ihr, nachdem ich beschlossen hatte, die eine Nacht hier zu bleiben, aber am nächsten Morgen früh aufzubrechen.

Sie begann mir nun den Weg für morgen zu beschreiben:

„Du solltest die größeren Ortschaften und Städte vermeiden, also Köflach und Graz. Dort würdest du wahrscheinlich auffallen, bleibe besser einfach auf den kleinen Straßen. Wenn du von hier den Salzstieglweg weitergehst, immer weiter, es sind einige Kilometer, dann kommst du nach Kleinfeistritz. Dort, gleich nach der Pfarrkirche, gehst nach rechts, quer durchs Gelände, nach kurzer Zeit kommst du dann zur Straße übers Gaberl, der folgst du nach links, Richtung Norden, aber bleibe etwas weg von der Straße, auf der sind viele unterwegs.

Dann bist du bald in Großfeistritz, dort musst du dann nach rechts, dann kommst nach Spielberg. Das sind einige Kilometer bis dorthin und dann musst du halt durchs Murtal Richtung Semmering weiter!"

Ich versuchte ihre Angaben zu wiederholen und nach dem zweiten Versuch konnte ich mir sie mit etwas Nachhilfe von ihr ganz gut merken.

Inzwischen war es gänzlich dunkel geworden und ich war richtig froh darüber, hier übernachten zu können.

Sie zeigte mir die Kammer, in der neben dem Bett eine Kommode mit einer Schüssel darauf und daneben ein großer, weißer Krug mit Wasser standen. Ein Stück Seife und ein dunkles, etwas steifes, aber sauberes Handtuch lagen auch da, sodass ich mich waschen konnte. Besonders meine Hände waren vom Wald schmutzig. Die dreckigen Stiefel hatte ich schon im Flur ausgezogen. Obwohl ich sehr vorsichtig die Socken von meinen Füßen zog, brannten die offenen Stellen an meinen Fersen wie Feuer. Ich wusch mir mühsam die Füße und danach die Socken, die ich dann an den Bettpfosten zum Trocknen aufhängte. Jetzt war ich so müde, dass ich das genaue Waschen meiner Hände auf morgen früh verschob, die Bäuerin würde mich gegen sieben Uhr aufwecken. Ich fiel auf das Bett und nach ganz kurzer Zeit schlief ich ein.

Am nächsten Morgen klopfte sie an die Türe und rief: „Guten Morgen!"

Ich holte die restliche Wäsche nach, bis auch der letzte Dreck unter den Fingernägeln weg war, öffnete das Fenster und goss das schmutzige Wasser aus der Schüssel hinaus, zog vorsichtig die trockenen Socken an und ging dann in die Stube. Sie hatte schon ein kleines Frühstück mit zwei gekochten Eiern, Käse, etwas Brot und Kaffee aus Kaffeeersatz vorbereitet.

Jetzt wollte ich aufbrechen und mich für das Essen und für die Ratschläge bedanken, aber sie sagte:

„Warte noch, bleib noch kurz sitzen, ich bin gleich wieder da!"

Nach einigen Minuten kam sie zurück und brachte ein Sakko mit, das sie mir gab: „Da hast, das ist besser als die Uniformjacke, mit dem wirst du nicht so auffallen!"

Ich zog die Uniformjacke aus und das Sakko an, es passte ganz gut.

Sie nahm meine Uniformjacke, deutete dann auf das Sakko und sagte: „Das ist von meinem Mann! Er ist Soldat und in Russland, aber er kommt bald zurück". Sie wiederholte: „Er kommt sicher zurück!" Es war, als würde sie es sich selbst bestätigen.

„Er hat mir geschrieben: hier!" Sie griff nach einem Kuvert, das in der Scheibe der Kredenz steckte, öffnete es und zeigte mir den Feldpostbrief. Ich konnte nur das Datum sehen, der Brief war vom Dezember 1943.

Sie wiederholte: „Er kommt ganz sicher bald zurück!"

Dann sagte sie: „Heute werde ich meine Kinder vom Nachbarhof holen, wir müssen die Viecher füttern, wir haben noch zwei Kühe, vier Schweine und acht Hendln!". Das klang ein wenig stolz, dann sagte sie plötzlich: „Aber du musst ja jetzt weiter, also …!"

Ich bedankte mich, bekam noch zwei Schnitten Brot mit etwas Käse in Papier gewickelt und einen Apfel – als Wegzehrung.

Sie sah mich an und bestand darauf, meinen Weg von hier weg noch einmal zu wiederholen, und sagte dann: „Pass auf dich auf und komm gut nach Hause!"

Ich wollte höflich sein und sagte zum Abschied: „Danke nochmals für alles und bitte auch Grüße an ihren Mann!"

Sie drückte mir plötzlich ein Busserl auf die Wange und ich verließ, etwas verdattert, das Haus.

Ich hatte Glück gehabt, sie war sehr nett gewesen und ich beschloss, ihren Ratschlägen zu folgen, ich wusste, dass es noch ein weiter Weg nach Hause, nach Hornstein im Gau Niederdonau, war.

***

Freitag, 6. April 1945, nahe St. Pölten, Reichsgau Niederdonau

Die Westbahnstrecke ist stark von kriegswichtigen Transporten befahren und wird nicht freigegeben. Also weicht Avar auf der Nebenstrecke nach Wieselburg aus und legt einen Halt ein. Betrunkene SS-Soldaten, die hier lagern, versuchen Avars Männer zu bezwingen. Es gelingt ihnen, in den Zug zu steigen. Gendarmen aus der Gegend werden alarmiert. Mit vereinten Kräften vertreibt man die Soldaten. Doch von der Goldzug-Ladung ist etwas abhandengekommen. Was genau, lässt sich nicht feststellen. Denn die Passagiere haben während der zurückliegenden Stopps bereits Schmuck und Uhren aus dem Zug gegen Brot und Wurst, frische Milch, Schnaps, Decken und andere Dinge, die sie benötigten, eingetauscht. Die Tauschgeschäfte setzen sich fort, Avar verhindert sie nicht: Sei es, weil er nicht die Durchsetzungskraft dafür hat, sei es, weil er daran denkt, dass möglicherweise auch er und seine Frau bald mehr brauchen, als sie auf die Fahrt ins Ungewisse mitgenommen haben.

Einen Tag später ist Ankunft in Amstetten, als Avar von Toldy erfährt: In Hallein kann der Zug nicht stoppen, da der Bahnhof für kriegswichtige Transporte freigehalten werden muss. Er soll weiter Richtung Westen fahren.[30]

***

---

[30] US National Archives (US-NA): Records of United States Occupation Headquarters, World War II – Werfen File.
Gábor Kádár, Zoltán Vági: „Holocaust Era Looted Assets Of Hungarian Jewry", Budapest 2000.
Ronald W. Zweig: „The Gold Train", New York 2002.
Es gibt keine Hinweise auf die Wahl der Route zwischen Amstetten und Hopfgarten in Tirol. Wahrscheinlich fuhr der Zug über Salzburg und das Große Deutsche Eck oder über Salzburg und Hallein durch das Salzachtal und weiter über Zell am See, Saalfelden und St. Johann in Tirol nach Hopfgarten in Tirol. Möglich sind aber auch die Strecken durch das Gesäuse und über den Phyrnpass.

Samstag, 31. März 1945, Südbahnstrecke am Semmering, Grenze Reichsgau Niederdonau zur Grenze Reichsgau Steiermark

Wir waren ein Stück weitergekommen, aber langsam. Der Zug durchfuhr einige Tunnel und die Fahrt wurde etwas eintönig und gerade, als wir die Haltestelle Breitenstein passiert hatten und wiederum aus einem der Tunnel heraus und über ein Viadukt zum nächsten Tunnel fuhren, wurde die Türe aufgerissen und jemand brüllte: „Achtung, Tiefflieger!"

Die SS-Soldaten in unserem Waggon warfen sich zu Boden, wir folgten ihrem Beispiel, es war ein ziemliches Durcheinander, weil der Mittelgang nicht genug Platz bot. Unmittelbar danach hörten wir schon die Motoren des Fliegers und das Hämmern der Maschinengewehre. Glas splitterte, die Fensterscheiben gingen zu Bruch, aber wir hatten Glück, der Zug rollte über das Viadukt zum nächsten Tunnel und blieb dann, nach einigen Metern, mit quietschenden Bremsen im Tunnel stehen.

Ich atmete erleichtert auf, aber nur kurz, denn jetzt kam der Rauch der Lokomotive durch die zerschossenen Fenster in unseren Waggon herein und nach kurzer Zeit begannen alle zu husten, unsere Augen brannten und tränten. Hustend und nach Luft ringend blieben wir liegen und es schien eine Ewigkeit zu dauern, bis sich der Zug wieder in Bewegung setzte und wir schließlich das Ende des Tunnels erreichten. Jetzt hingen alle an den Fensteröffnungen, um wieder frische Luft zu bekommen.

Das Flugzeug war weg, Hans meinte: „Der kommt wahrscheinlich nicht so schnell wieder, hier in den Bergen ist es für einen Flieger schwer, einen Zug anzugreifen, zu wenig freie Strecken und die Täler sind zu eng!" Wir fuhren den nächsten Teil der Strecke ohne Probleme weiter, durchquerten die Tunnel und ganz knapp vor dem Bahnhof Semmering hielt der Zug wieder, noch auf freier Strecke, der Bahnhof war in Sichtweite. Der Obersturmbannführer betrat das Abteil und befahl: „Alle raus!"

Wir verließen den Zug und der Lokführer bestieg das Bremserhäuschen des letzten Waggons. Er kurbelte und zog die Bremsen des Wagens an. Dann wurde der Waggon vom Zug abgehängt.

Der Lokführer stieg mit zwei Soldaten wieder auf die Lokomotive und fuhr den Zug einige Meter weiter. Der Lastwaggon mit den angezogenen Bremsen stand nun alleine auf den noch immer ganz leicht ansteigenden Schienen. Ein Soldat wurde ins Bremserhaus befohlen, er kurbelte und löste die angezogenen Bremsen des Waggons. Der begann aber nicht zurückzurollen, er stand mit gelösten Bremsen da und rührte sich nicht.

Der Offizier runzelte die Stirn und befahl: „Alle anschieben!" Und wir sieben und alle Soldaten schoben den Waggon an, bis der ganz langsam bergab ins Rollen kam.

Der Soldat sprang aus dem Bremserhäuschen und alle beobachteten, wie der Waggon immer schneller wurde und dann im letzten Tunnel verschwand. Der Tunnel verstärkte das Rollgeräusch und der Offizier schien zufrieden zu sein. Dann hieß es: „Alle einsteigen!"

Wieder im Abteil hörte ich einen SS-Mann zum anderen sagen. „Gescheit vom Obersturmbannführer, jetzt kann uns keiner mehr so schnell folgen, wenn der Waggon nach einigen Kurven zu schnell ist und entgleist, dann dauert es lang, bis alles wieder frei ist!"

Der Zug fuhr weiter, vorbei am Bahnhof Semmering. Vor dem Stationsgebäude konnte ich einen Eisenbahner sehen, der unsere Vorbeifahrt Richtung Mürzzuschlag beobachtete.

***

Freitag, 30. März 1945, Brennberg/Brennbergbánya, Ungarn

Der von Szálasi zum Leiter des Büros für Beschlagnahmungen ernannte Gendarm Árpád Toldy macht den ehemaligen Bürgermeister des Städtchens Senta in der Voijvodina, Lászlo Avar, zum Zugkommandanten und übergibt ihm den Oberbefehl über den beladenen und abfahrbereiten Goldzug. Schon vorher hat Toldy bereits den wertvollsten Teil der Fracht auf zwei Lastwagen aufladen lassen, die er nun persönlich auf dem Weg in die Alpenfestung begleitet. 53 der ursprünglich 105 befüllten Kisten, 15.000 US Dollar, 17.000 Schweizer Franken und kleinere Summen in weiteren fünf Währungen führt er mit sich. Er entscheidet noch, dass mehrere Bergwerksleute im Zug mitfahren und ihre Familien mitnehmen dürfen. Um Platz zu schaffen, wird ein Waggon frei gemacht, Sachen werden ausgeladen.[31]

Werkstättenleiter Wedits – später selbst des Valutendiebstahls verdächtigt und nach der Haft, die er in Budapest absitzt, aus dem Dienst entlassen – beobachtet das Geschehen und sagt: „Die ausgeladenen Sachen hat der geschickte Teil der Bevölkerung weggeschleppt und zum großen Teil nach dem Krieg verkauft!"[32]

---

[31] Sabine Stehrer: „Der Goldzug", Wien 2006, S. 19f
[32] Erinnerungen von Wedits.

Toldy bricht noch im März 1945 mit den beiden voll beladenen Lastwagen und vier bis sechs großen Autos nach Hallein auf. Es gibt einige Stopps wegen der Bombenangriffe und etliche Male wegen Pannen. Nach und nach treffen die Fahrzeuge in Hallein ein.

***

Mittwoch, 10. April 1945, Gemeinde Hirschegg, Reichsgau Steiermark

Ich machte mich auf den Weg, genauso wie die Bäuerin ihn mir beschrieben hatte. Es war leicht, auf dem Salzstieglweg, der in der Nähe des Hinterbergerhofes vorbeiführte, weiterzukommen. So zeitig begegnete mir niemand und ich erreichte bald Kleinfeistritz. Gleich nach der Pfarrkirche bog ich rechts ab, sprang über ein Gatter und überquerte rasch eine Wiese. Ich wollte nicht gesehen werden, während ich über die große Weide Richtung Norden lief. Einige Hundert Meter weiter stieß ich auf die Straße, die rechts nach Gaberl führte und die mir die Bäuerin genannt hatte. Ich hielt mich genau an die Marschroute, die ich mir gemerkt hatte, ging nach links und hielt mich etwas seitlich von der Straße am Waldrand, so kam ich dann parallel zur Straße ganz gut voran. Auf dieser Straße herrschte schon jetzt in der Früh viel Verkehr. Lastwagen mit Soldaten, einige Kradfahrer, viele Pferdefuhrwerke und auch Radfahrer waren in beiden Richtungen unterwegs.

Es war ein schönes Stück bis Großfeistritz und noch am Vormittag war ich da. Fast am Anfang des Ortes zeigte eine kleine Tafel, auf der ein Pfeil und daneben Spielberg stand, nach rechts, weg von der Straße. Ich bog dort ab. Hinter mir kam ein Leiterwagen, von einem Pferd gezogen. Darauf saß ein alter Mann mit einem weißen Schnauzbart, er trug einen grünen Hut. Ich wartete, bis der Wagen auf gleicher Höhe mit mir war, und fragte ihn dann: „Bitte, darf ich mitfahren nach Spielberg?" Er sah mich an, nickte und deutete mit dem Daumen nach hinten, ohne stehen zu bleiben. Ich sprang hinten auf den Wagen und ließ meine Beine baumeln. Besser etwas holprig gefahren, als gut zu Fuß gegangen, dachte ich mir.

Wir brauchten eine Weile, das Pferd war wahrscheinlich schon alt und müde, so wie der Kutscher. Der Wagen bog nach einer Weile nach rechts ab und dann ging es fast geradeaus weiter. Knapp vor dem Ortsende von Großlobming hielt der Kutscher an, er wollte hier nach rechts zu seinem Hof abbiegen. Ich sprang herunter und bedankte mich bei dem alten Mann. Er sah mich aus wässrigen Augen an und fragte: „Wo willst du denn hin?"

Ich sagte: „Ich muss Richtung Semmering!"

„Na, da hast ja noch ein schönes Stück vor dir!"

Ich wollte die Gelegenheit nützen und fragte ihn: „Können Sie mir bitte sagen, durch welche Ortschaften ich da muss?"

Er grinste und sah mich nachdenklich an: „Kannst du Holz hacken?"

Ich war ob der plötzlichen Frage überrascht und sagte „Ja!", auch weil ich schon zu Hause bei der Nachbarin einige Male das Brennholz gehackt hatte.

Er musterte mich noch einmal und sagte dann: „Ich muss noch heute mit dem Wagen nach Apfelberg und bei der Hinterhofer-Bäuerin Holz liefern. Das ist genau deine Richtung. Wenn du mir hilfst, dann kannst am Nachmittag mitfahren!"

Ich war einverstanden und wir fuhren zu seinem alten, ein wenig heruntergekommen Bauernhof.

In der Scheune lag ein großer Haufen unterschiedlich

langer Holzstämme und er teilte mich gleich ein. „Das ist zum Zerhacken, in ca. 30 Zentimeter lange Stücke! Und wenn du mit dem fertig bist, dann auf den Wagen hinten aufladen!" Er deutete auf einen großen, dicken, stehenden Holzstamm, in dem eine Axt steckte, dann verschwand er im Haus.

Das war eine ganz schön harte Arbeit, es dauerte ca. zwei Stunden, bis ein noch größerer Haufen von mehr oder minder gleichen, ca. 30 Zentimeter langen Holzscheiten vor mir lag. Ich hatte wie wild und viel zu schnell die Axt geschwungen und durchgehalten, bis alles gehackt war, aber jetzt war ich fix und fertig.

Der Bauer schien mich vom Fenster aus beobachtet zu haben. Er kam heraus, war irgendwie ein wenig beeindruckt, dass ich den gesamten Holzhaufen so rasch weggearbeitet hatte. Er sah mich an und sagte: „Jetzt rast' dich ein bisserl aus und dann ladest halt ein!"

Ich packte mein Jausenbrot, das ich von der Bäuerin erhalten hatte, aus und ließ es mir schmecken. Der Bauer brachte mir einen Krug mit Wasser.

Dann begann ich, die Holzscheite auf den Leiterwagen zu laden. Das war eine schlimme Klauberei, ich warf die Scheite einfach auf die Ladefläche und musste aufpassen, mir nicht wieder einen Schiefer einzuziehen, ich hatte ja keine Handschuhe. Es war fast genauso anstrengend wie das Hacken und nach einiger Zeit tat mir mein Rücken weh. Ich machte eine kurze Pause.

Der Bauer kam wieder und sagte mir: „Lass ein wenig von dem gehackten Holz liegen, das brauchen wir fürs Haus!"

Nach einer weiteren Stunde war der Leiterwagen geladen, das Pferd, welches er abgespannt und in den Stall gebracht hatte, wurde jetzt wieder eingespannt und dann ging es los.

Ich hatte keine Ahnung, wie weit es nach Apfelberg war, wir fuhren nur kurz dorthin, ich saß neben dem Bauern vorne am Bock, das Pferd mühte sich mit dem schweren Wagen, es waren nur wenig mehr als zwei Kilometer.

Am Hof, zu dem der Bauer das Holz lieferte, lebte eine Frau, die den Bauern kannte. Ich blieb am Bock oben sitzen, er war abgestiegen, sprach mit ihr und ging dann mit ihr ins Haus. Ich konnte nicht hören, was er zu ihr sagte und wartete. Er kam nach kurzer Zeit zurück und fragte mich:

„Willst du das Holz hier abladen und aufschichten? Die Bäuerin hat gesagt, sie gibt dir dann was zu essen und wenn du willst, kannst du auch über Nacht hier bleiben, jetzt ist es eh schon spät!"

Er hatte recht, denn es war inzwischen schon Nachmittag geworden und ich würde besser hier bleiben und morgen früh weitergehen. Außerdem war ich todmüde, ich hatte noch nie so viel in so kurzer Zeit gearbeitet. Aber ich musste ja noch das Holz abladen und aufschichten.

Die Bäuerin kam jetzt auch aus dem Haus, sah mich kurz an und zeigte mir dann die Mauer in ihrem Nebenhaus, an der ich die Scheite aufschichten sollte. Sie sprach recht undeutlich und ich bemerkte, dass ihr die zwei oberen Vorderzähne fehlten.

Ich begann, die Holzstücke vor dem Eingang des Nebenhauses abzuladen, das ging verhältnismäßig schnell.

Dann verabschiedete sich der Bauer von mir, wünschte mir alles Gute und sagte:

„Du musst von hier über St. Margarethen und St. Lorenzen bei Knittelfeld, über Kraubath nach St. Michael und dann Richtung Leoben und Mürzzuschlag, jetzt aber zuerst nach Gobernitz, das sind nur einige Kilometer, und dann ist's auch nicht weit nach St. Margarethen. Von dort weiter Richtung Leoben!"

Ich bedankte mich und sah ihm nach, als er mit seinem Fuhrwerk den Hof verließ.

Das Abladen war nicht so anstrengend gewesen, aber das Aufschichten an der Wand dauerte wiederum weit länger als eine Stunde. Ich machte einige kurze Pausen, dann war ich fertig, die Holzscheite waren sauber und fest aufgeschichtet.

Auch die Bäuerin schien mich beobachtet zu haben, denn jetzt kam sie aus dem Haus und betrachtete den von mir aufgeschichteten Holzstoß. Sie nickte und wandte sich zur Türe, blieb aber dann stehen und zeigte auf die Wand vor der Türe. Ich wusste nicht, was sie meinte, und sie zeigte noch einmal auf die Wand, wiederum in der gleichen Höhe. Da saß eine Fliege. Sie stand ungefähr zwanzig Zentimeter vor der Wand und zeigte nochmals mit dem Finger auf die Fliege. Dann, plötzlich und unvermittelt, spuckte sie aus dieser Entfernung auf die Wand und traf genau die Fliege. Die Spucke rann mit der zappelnden Fliege die Wand hinunter. Sie brummte, nickte zufrieden und ging hinaus. Ich stand wie angewurzelt da, das hatte ich nicht erwartet.

Etwas später kam sie wieder und brachte mir einen Teller mit Einmach-Gemüsesuppe und Brot. Sie sagte nichts, brummte wieder und schien mit meiner Arbeit zufrieden zu sein. Dann zeigte sie mir eine Türe zu einer Kammer im Nebenhaus, in der ein Bett mit Strohmatratzen stand.

„Da kannst du schlafen und waschen kannst dich im Hof bei der Pumpe!" Das war alles, was sie sagte, dann verschwand sie. Sie war zwar nicht unfreundlich, aber offensichtlich nicht sehr an mir interessiert.

Ich aß die Suppe, strengte mich aber an, dabei nicht an die spuckende Bäuerin zu denken.

Es wurde jetzt langsam dunkel, ich war müde von der Arbeit, wusch mich kurz im Hof und legte mich dann in der Kammer auf die Strohmatratze. Auch ein alte Decke, ein „Kotzen", zum Zudecken war vorhanden. Sie stank nach Pferd, aber das war mir egal, ich schlief sofort ein.

***

Sonntag, 8. April 1945, Hopfgarten, Reichsgau Tirol-Vorarlberg

Als Avar am 8. April 1945 am Bahnhof von Hopfgarten eintrifft[33], haben die Strapazen der Fahrt seine Frau Lászlone stark mitgenommen. Sie kann im Zug schlecht schlafen. Das Essen, das zu bekommen ist, schmeckt nicht. Es gibt kaum Gelegenheit sich zu waschen und die Babys so zu versorgen, wie es notwendig wäre. Auch Avar selbst ist erschöpft und froh, dass er die Kommandantur über den Zug nun bald an Toldy zurückgeben kann, den er hier erwartet, nachdem der Zug in Hallein nicht, wie vereinbart, stoppen kann, da der Bahnhof für kriegswichtige Transporte freigehalten wurde. Er muss weiter nach Westen, nach Hopfgarten, fahren.[34,35]

Als Toldy am 13. April tatsächlich am Bahnhof in Hopfgarten vorfährt, atmet Avar auf. Er berichtet, was

---

[33] Sabine Stehrer: „Der Goldzug", Wien 2006, S. 23.
 In Hopfgarten in Tirol stoppte der Zug entweder nach der Fahrt durch das Salzachtal, oder aber nach der Route über das Große Deutsche Eck, wo er ab Wörgl vielleicht deshalb wieder ostwärts fuhr, weil die Strecke weiter im Westen unter Beschuss stand. Möglich ist auch, dass der Zug nach Hopfgarten beordert wurde.
[34] Sabine Stehrer: „Der Goldzug", Wien 2006, S. 22f.
[35] US National Archives (US-NA): Records of United States Occupation Headquarters, World War II – Werfen File;
 Gabor Kádár, Zoltán Vági: „Holocaust Era Looted Assets Of Hungarian Jewry", Budapest 2000;
 Ronald W. Zweig: „The Gold Train", New York 2002.

geschehen ist, dass die Ladung dezimiert ist, wie es dazu gekommen ist, was er unternommen hat. Toldy hört sich alles an und bietet an, in Landeck, einer Stadt in der Arlberg-Gegend, Quartiere für Avar und Co. zu besorgen, damit sie sich alle erholen können.

Ein Lastwagen trifft ein. Er hat Pelze geladen, die von Juden aus der Nähe von Sopron stammen und auf Befehl des Innenministers auf den Goldzug aufgeladen werden sollen. Toldy lässt sich die Pelze zeigen, fasst sie an, schnalzt mit der Zunge, sortiert ein paar aus und befiehlt, sie in sein Auto zu packen. Als Avar das sieht, beginnt er zu ahnen, dass sein Vorgesetzter ganz andere Interessen hat, als das Vermögen für die Regierung beisammen zu halten. „Das geht doch nicht!", ruft er, „das dürfen Sie nicht machen!" Toldy zieht die Schultern hoch. „Was willst du? Der Krieg ist so gut wie aus, wir sind am Ende. Ich muss für meine Familie sorgen!" Toldy lässt sein persönliches Gepäck aus dem Zug ins Auto laden und befiehlt Avar, ihm Schatullen mit Juwelen, Brillanten und Perlen, sechs Kisten mit Gold und weitere Kisten mit Schmuck und Uhren aus dem Zug auszufolgen. Avar muss, wohl oder übel, gehorchen. Toldy mietet sich, seine Familie und seine Vertrauten in einem Hotel in St. Anton am Arlberg ein. Dorthin lässt er sich am 28. April die Kisten mit Gold, Silber und Juwelen aus dem Zug bringen. Sie sind so schwer, dass der Lastwagen während der Fahrt unter der Überladung zusammenbricht. Der Fahrer vergräbt den Schatz am Straßenrand. Er tut es in Sichtweite einer Kapelle zwischen Flirsch und Schnann.[36]

---
[36] Sabine Stehrer: „Der Goldzug", Wien 2006, S. 35.

In den nächsten Tagen erreichen noch weitere Lastwagen-Transporte aus dem Osten Toldy und Co. Die Kisten enthalten nicht nur Schmuck und Pelze, sondern auch Gebisse und Goldzähne, die aus den Konzentrationslagern stammen. Sie werden teils vergraben, teils versteckt, bei Landeck, im Stanzertal und wahrscheinlich gegen Bezahlung mit der Unterstützung eines heimischen Bergführers beim Hotel Tannenhof in St. Anton und in der Scheune eines einheimischen Eisenbahners.[37]

Einen Lastwagen mit 18 Kisten voller Gold, Silber, Geld und Juwelen behält Toldy bei sich. Seinen zwei Stieftöchtern überlässt er einen Teil des Golds, Geld und Schmuck. Sie sollen ab nun selbst für sich sorgen.

Toldy schickt eine Order an Avar. Er habe den Zug zu verlassen, und zwar zusammen mit den übrigen Finanzbeamten und den Zivilpersonen. Die Gendarmen, Polizisten und Soldaten sollen den Zug weiter Richtung Westen bringen. Avar verweigert Toldys Befehle, weil er ihm nicht mehr traut.[38] Als sich der Zug nicht wie befohlen Richtung Westen in Bewegung setzt, erhält Avar Drohungen von Markowits. Dieser war nach einem Stopp in Hallein, wo er vergeblich nach dem Zug suchte, nach St. Anton weitergefahren, wo er nun seine Besitztümer erwartet: Wenn der Zug nicht bald eintreffe, werde er Avar, dem „Agitator aus der Arbeiterklasse", und seinen „kommunistischen

---

[37] Der Filmemacher Norbert Prettenthaler interviewte für seine folkloristische Kurz-Doku „Das goldene Dorf" eine Zeitzeugin. Sie sagt, in den letzten Kriegstagen hätten ihr Ungarn einen Pelzmantel und ein bisschen Schmuck gegen einen Lagerraum angeboten. Sie selbst hätte das Angebot gerne angenommen, durfte aber nicht, weil ihr Schwiegervater damals sagte, er will „mit solchen Leuten nichts zu tun haben".
[38] Sabine Stehrer: „Der Goldzug", Wien 2006, S. 23f.

Überläufern" aus der Zugmannschaft noch „die Gestapo[39] an den Hals jagen."[40]

***

---

[39] Geheime Staatspolizei, kriminalpolizeilicher Behördenapparat und die politische Polizei in der Zeit des Nationalsozialismus. In den Nürnberger Prozessen wurde sie zu einer verbrecherischen Organisation erklärt.
[40] Ronald W. Zweig: „The Gold Train", New York 2002, S. 105.

Donnerstag, 11. April 1945, Apfelberg bei Spielberg, Reichsgau Steiermark

Sie hatte sogar einen Hahn auf dem Hof, das blöde Federvieh krähte mich sehr früh am Morgen wach, es war noch dunkel, meine Uhr zeigte mir, dass es erst 5.30 Uhr war und der Schreihals hörte nicht auf, bis ich aufstand, hinausging und in der Dunkelheit einen Holzscheit in seine Richtung warf. Er kreischte kurz empört auf und verließ flatternd den Innenhof. Dann war es endlich wieder still. Ich legte mich noch einmal nieder und schlief ein, die Decke schien jetzt viel stärker zu stinken als am Abend.

Als ich wieder aufwachte, war es 6.45 Uhr, ich war noch immer müde, mir tat alles weh von der schweren Arbeit am Vortag. Ich warf die stinkende Decke auf den Boden, blieb aber noch etwas liegen und dachte wieder zurück an das, was ich im Zug auf der Abfahrt vom Semmering Richtung Mürzzuschlag erlebt hatte.

***

Samstag, 31. März 1945, Südbahnstrecke am Semmering, Reichsgau Steiermark

Wir waren nach unserem Aufenthalt knapp vor dem Bahnhof Semmering noch nicht weit Richtung Mürzzuschlag gefahren, als der Zug einige Meter nach einem Tunnel wieder mit quietschenden Bremsen auf einem freien geraden Streckenstück anhielt. Wir konnten den Grund für dafür nicht feststellen und durften vorerst auch den Zug nicht verlassen, bis der SS-Offizier wieder einmal befahl: „Alles raus!"

Jetzt konnten wird den Grund für unser Anhalten sehen. Das Gleis war einige Meter vor der Lok aufgerissen, auf ca. 50 Metern fehlte die linke Schiene, ein ungefähr drei Meter großes Loch war dort, mehrere Holzschwellen fehlten und die rechte Schiene war völlig verbogen und teilweise aus den Schwellen gerissen. Wahrscheinlich hatte eine Bombe oder Granate dort die Spur getroffen. Jetzt war ein Weiterfahren unmöglich.

Der Obersturmbannführer fluchte wild und sah sich um. Dann entschied er: „Alles rein, wir fahren zurück!"

Der Zug fuhr zurück. Es war nicht weit bis zum Stationsgebäude Semmering und dauerte nicht lang.

Die Türe unseres Waggons wurde aufgerissen, ein SS-Mann kam und befahl uns: „Aussteigen!"

Den Offizier, den Lokführer und einen der Soldaten konnten wir im Stationsgebäude sehen. Sie sprachen mit einem Eisenbahner. Es dauerte nicht lange, dann kamen alle vier heraus, der Offizier winkte uns zu sich:

„Ihr geht mit!" Wir sieben, begleitet von einem weiteren Soldaten, folgten dem Offizier, dem Lokführer und dem Eisenbahner zu einem hinter dem Stationsgebäude stehenden Schuppen. Der Eisenbahner schloss die Türe auf, darin waren allerhand Werkzeug und verschiedene Geräte zu sehen.

„Was brauchen wir?", fragte der Obersturmbannführer den Lokführer.

Der besah sich die Geräte und Werkzeuge und dann schleppten wir die von ihm ausgewählten Sachen zum Zug und luden sie auf den ersten offenen Lastwaggon hinter der Lokomotive, auf dem auch das schwere Maschinengewehr stand. Auch ein Dutzend Holzschwellen wurden mitgenommen.

Der Offizier sagte zum Eisenbahner: „Sie, Sie kommen mit!" Der wollte protestieren: „Aber, ich kann doch nicht ..." „Maul halten!" Einer der beiden SS-Soldaten stieß ihm den Lauf seiner Maschinenpistole in den Rücken. Der Mann gab sofort nach und konnte plötzlich doch.

Wir fuhren wieder Richtung Mürzzuschlag. Vor dem kaputten Schienenstück angekommen, wurden die Geräte und die Holzschwellen abgeladen. Dann schob der Zug zurück in den Tunnel, wahrscheinlich wollte ihn der Offizier vor einem möglichen neuerlichen Fliegerangriff schützen.

Er trieb uns zur Eile an: „Rasch, das muss rascher gehen!"

Einige von uns mussten die verbogene und teilweise

ausgerissene rechte Schiene von den noch verbliebenen Holzschwellen abschrauben, dann wurde sie mit „Ho-Ruck" auf die Seite gehoben.

Das Loch wurde mit Erde vom Bahndamm auf der Seite aufgefüllt, dann festgestampft und die herangeschafften Schwellen nach den Anweisungen des Eisenbahners und des Lokführers wieder eingegraben. Mir war völlig schleierhaft, wie die jetzt fehlenden Schienenteile ersetzt werden sollten, denn neue Schienen waren nicht vorhanden. Aber wir hatten mehrere Hebezangen und mit diesen wurden wir ans Ende des Zuges etwas weiter zurück in den Tunnel geschickt. Der Offizier und der Lokführer hatten sich besprochen und wir mussten dort, fast am Eingang des Tunnels, auf jeder Seite des Gleises die Schienen abschrauben. Das war mühsam, aber der Offizier trieb uns andauernd an. Beim Nach-vorne-Tragen der Schienen, vorbei am Zug, halfen sogar einige SS-Männer mit. Der Tunnel war voll vom Rauch der Lokomotive, es war Schwerstarbeit, die so nicht gelang, Keiner hielt es drinnen aus, mehrmals musste schon die erste getragene Schiene abgesetzt werden. Um die Sache zu beschleunigen, ordnete der Obersturmbannführer an, dass der Zug etwas nach vorne fahren soll, damit nur der Vorderteil der Lok knapp im Freien vor dem Tunnel stand. Dann, nachdem sich die Situation im Tunnel etwas gebessert hatte, konnten die beiden Schienenteile unter Keuchen und Husten, mit tränenden Augen mühsam herausgetragen werden. Jeder atmete auf, als wir mit den Schienen aus dem Tunnel wieder ins Freie kamen. Die Schienenstücke wurden auf die neu verlegten Bohlen aufgelegt und, das war wieder ziemlich mühevoll, angeschraubt. Der Lokführer kannte sich aus, es ging sich exakt aus, nach etwas mehr als drei Stunden waren wir fertig und der Zug fuhr langsam aus dem Tunnel über die nun notdürftig reparierte Stelle.

Jetzt hieß es: „Alles einsteigen!" und zum Eisenbahner: „Und Sie, Sie hau'n ab!" Ich hatte noch nie jemanden so schnell verschwinden gesehen, im Nu war der Eisenbahner weg.

Wir waren alle k.o. nach dieser anstrengenden Arbeit und ich spürte noch eine Zeit lang den Rauch aus dem Tunnel im Hals und in der Nase und musste immer noch husten.

Und der Zug setzte sich wieder in Bewegung Richtung Mürzzuschlag.

***

April 1945, Hopfgarten, Reichsgau Tirol-Vorarlberg

Avar misst den Beschimpfungen und Drohungen von Markowits keinen Wert bei und er verweigert Toldys Befehle zur Weiterfahrt in den Westen, weil er ihm nicht mehr traut. Ungarn ist inzwischen zur Gänze von den Russen besetzt, die Pfeilkreuzler-Regierung ist gespalten. Er weiß nicht mehr wirklich, wer Freund und wer Feind ist, und möchte am liebsten alles hinschmeißen, den Zug verlassen, so wie etliche andere auch. Versuchen, anders weiterzukommen. Nach Italien oder in die Schweiz und von dort vielleicht in die USA?

Auf Anraten seiner Männer lässt Avar nach einem hochrangigen, seriösen Politiker suchen, der ihm die Verantwortung abnehmen kann. So jemanden zu finden, scheint nicht schwierig zu sein, denn etliche frühere Mitglieder der ungarischen Regierung haben sich in die Gegend um Hopfgarten zurückgezogen. Im nahen Kitzbühel hält sich der Ministerpräsident der Jahre 1938 und 1939 auf. Mit dem Argument, er sei als Privatperson anwesend, lehnt dieser aber genauso seine Unterstützung ab, wie der Finanzminister des Pfeilkreuzler-Regimes, der sich im Kitzbüheler Grand Hotel eingemietet hat. Später, in den ersten Mai-Tagen, kommt der Generalkonsul der königlich-ungarischen Regierung aus Wien nach Tirol und verlangt die Herausgabe des Goldzug-Vermögens. Er bezieht sich auf Autorisierungen, die er vom Außenminister und vom Finanzminister erhalten haben will. Avar telegrafiert Innenminister Vajna. Er will endlich wissen, was Sache ist und ob der Auftrag, die Fracht in Sicherheit zu bringen und dafür zu sorgen, dass das Vermögen später an Ungarn retourniert wird, noch aufrecht ist. Vajna schickt einen Mann mit einem Schreiben, das die Order bestätigt. Für Avar heißt es daher: weitermachen.

Der Konsul ist nicht der Einzige, der die Hand nach der Fracht ausstreckt: Einer Einheit der Waffen-SS, die in Hopfgarten lagert, bleibt das bunte Treiben um den mysteriösen Zug nicht verborgen. Die Soldaten wollen wissen, was im Zug ist, und laden Avar vor. Das Verhör endet in einer Plauderei mit „friedvoller Trinkerei". Als Avar verspricht, beides am nächsten Tag fortzusetzen, glaubt er schon zu wissen, dass er dann den Ort verlassen haben wird. Nicht weiter nach Westen – so wie Toldy und Markovits es wollten –, die Bahnstrecke dorthin ist inzwischen nach Bombenangriffen sowieso unbefahrbar geworden, sondern Richtung Bad Gastein. Avar hat gehört, dass der Zug im Tauerntunnel in Böckstein bei Bad Gastein gut versteckt werden könnte.[41],[42]

Doch die Technik macht dem Vorhaben, abzufahren, zunächst einen Strich durch die Rechnung. Kurz vor dem geplanten Start wird festgestellt, dass die Bremsen mehrerer Waggons kaputt sind. Deren Ladung muss umgeladen werden. Ein paar der SS-Soldaten sehen jetzt, was da geschleppt wird. Um sie davon abzuhalten, den Zug zu über-

---
[41] Sabine Stehrer: „Der Goldzug", Wien 2006, S. 24f.
[42] Ronald W. Zweig: „The Gold Train", New York 2002, S. 109.

fallen, lässt Avar ihnen 500 wertlose, zum Teil beschädigte Uhren, Kleidung und Rum geben und wundert sich vermutlich, dass die Männer so leicht loszuwerden sind.

Ein Salzburger erlebt die Geschehnisse um den Goldzug in Hopfgarten mit. Ihn treibt die Ahnung, in der Gegend vielleicht gute Geschäfte machen zu können, nach Kriegsende wieder nach Tirol.

Dort werden ihm – auf der Straße und im Wirtshaus, man hat gewusst, wo man sich trifft – große Mengen an silbernen Ketten, Ringen und Uhren aus Ungarn zum Kauf angeboten. Das Kilo, das er in Tirol um 2000 Schilling kauft, verkauft er in Salzburg und Wien um den fünffachen Betrag, also um 10.000 Schilling.[43]

Am 29. April 1945 fährt der Goldzug ohne allzu lange Stopps durch Tirol und Salzburg bis zum Bahnhof Schwarzach-St. Veit und von dort nach Böckstein bei Bad Gastein.[44]

***

---

[43] Sabine Stehrer: „Der Goldzug", Wien 2006, S. 25 – Name der Autorin bekannt, Interview 2000.
[44] Sabine Stehrer: „Der Goldzug", Wien 2006, S. 25.

Donnerstag, 11. April 1945, Apfelberg bei Spielberg, Reichsgau Steiermark

Aber es war nichts mehr mit Weiterschlafen. Die Decke stank vom Boden her und ich hatte das Gefühl, ich würde jetzt genauso stinken. Es war inzwischen nach 7.00 Uhr und ich stand auf und ging auf den Hof hinaus, um vielleicht den Gestank abwaschen zu können. Es war kalt und ich beeilte mich, aber so wirklich half das Waschen nicht. Die Bäuerin war wahrscheinlich bereits auf dem Ausguck gewesen, denn sie kam aus dem Haus mit einer Tasse und einem Teller und stellte mir beides hin, ohne etwas zu sagen. Es war Milch und ein Stück Brot mit Käse darauf. Ich bedankte mich, doch sie reagierte nicht und ging zurück. Die Milch schmeckte zwar dünn, aber nicht schlecht und auch das Brot und den Käse hatte ich rasch weggeputzt.

Ich ging hinüber zu dem Fenster neben ihrer Eingangstüre und klopfte an die Scheibe. Sie kam zum Fenster und ich bedankte mich noch einmal laut und verabschiedete mich: „Ich gehe jetzt!" Sie hob nur die Hand und verschwand dann wieder im dunklen Zimmer.

Ich verließ den Hof und ging, wie mir der Bauer gestern geraten hatte, auf der Straße nach rechts, Richtung Gobernitz und während ich ging, holten mich meine Erlebnisse wieder ein.

***

Samstag, 31. März 1945, Südbahnstrecke am Semmering, Reichsgau Steiermark

Nach der Schienenreparatur fuhren wir weiter, aber nicht allzu lange, es war inzwischen fast dunkel geworden und schon vor der Station Spital am Semmering wurde der Zug langsamer, in der Station bog er rechts auf ein kurzes Nebengleis ab und blieb dann gleich neben einer Böschung stehen.

Ich konnte sehen, dass sich im vordersten Abteil unseres Waggons der Obersturmbahnführer mit einem SS-Soldaten, der den Rang eines SS-Scharführers hatte, unterhielt. Die beiden hielten sich abwechselnd immer wieder in diesem Abteil auf. Wahrscheinlich war dann jeweils der andere vorne beim Lokführer.

Ich fragte Hans: „Weißt du, warum wir hier stehen bleiben?"

Er überlegte und sagte dann: „Weiß ich auch nicht genau, aber wahrscheinlich ist es bei Nacht zu gefährlich weiterzufahren."

Ich frage: „Warum?"

Er sah mich an und sagte: „Wenn die Schienen irgendwo wieder zerstört sind, dann würden wir entgleisen, bei Dunkelheit kann man das nicht rechtzeitig sehen und außerdem sind die Funken und der Rauch von der Lokomotive in der Nacht von Weitem zu bemerken, wir wären ein ganz einfaches Ziel für einen Flieger!"

Gleich darauf kam der laute Befehl von vorne: „Alles aussteigen!"

Alle stiegen nun auf der in Fahrtrichtung linken Seite des Zuges aus. Die Lok wurde von den Waggons abgehängt und fuhr noch einige Meter weiter, sodass sie alleine fast am Ende des Nebengleises stand. Der Obersturmbannführer gab den Befehl, einige Sägen und Seile aus einem der verschlossenen Waggons zu holen und hinter den Waggons zur Böschung zu bringen. Dann bekamen wir den Auftrag, von den auf der Böschung stehenden Nadelbäumen große Äste abzusägen. Diese großen Äste und größere Zweige wurden, nach den Anweisungen des Scharführers, oben auf das Führerhaus der Lok und dann immer weiter, mehrere zuerst vorne und dann auch quer über den langen Dampfkessel, gelegt. Nach 20 Minuten war die Lok getarnt und außer dem Rauchfang, der immer weniger qualmte, war jetzt von ihr von oben sicher nicht mehr viel zu sehen. Zuletzt wurde auch der Rauchfang, so gut es ging, mit einigen großen Ästen getarnt, sodass nun wahrscheinlich nur mehr ein großer grüner Reisighaufen zu sehen war, aus dem es jetzt nur mehr wenig qualmte.

Einige Soldaten wurden mit der Anweisung, Verpflegung für alle zwanzig Mann zu besorgen, in die Ortschaft geschickt. Alle anderen wurden wieder in den Waggon zurückbefohlen.

Nach einiger Zeit kam der Verpflegungstrupp zurück und wir erhielten als „Abendessen" jeder etwas Brot, Käse und Milch in Blechhäferln. Es war inzwischen schon dunkel geworden und der Befehl „Nachtruhe, Quatschen einstellen!" war eindeutig und unmissverständlich.

Jeder versuchte, eine möglichste bequeme Schlafposition zu finden, was nicht einfach war. Einige der Männer im Waggon schnarchten, sodass ich nur sehr schwer einschlafen konnte. Durch die unbequeme Stellung und durch die Geräusche der draußen an den Waggons vorbei patrouillierenden Wachposten wurde ich mehrmals wach. Ich schlief schlecht, versuchte immer wieder eine bequemere Position zum Schlafen zu finden und war todmüde, als wir am nächsten Morgen zeitig geweckt wurden, es war noch früh, gegen 6.30 Uhr. Draußen war es bereits dämmrig und die Lok wurde wieder angeheizt. Wir Sieben wurden hinauskommandiert und unter der Beaufsichtigung zweier Soldaten und des Scharführers entfernten wir die größten Äste von der Lok. Einige kleinere Äste und Zweige blieben liegen, sie würden beim Fahren ohnedies herunterfallen. Dann ging es zurück in unseren Waggon. Die Lok fuhr einige Meter zurück, die Waggons wurden angekoppelt und kurz danach, mit einem Ruck, begann der Zug ein weiteres Stück zurückzuschieben, um dann am Hauptgleis wieder die Richtung zu wechseln und nach Mürzzuschlag weiterzufahren.

***

Samstag, 5. Mai 1945, Böckstein bei Bad Gastein, Reichsgau Salzburg

In der Nacht auf den 5. Mai kommt Avars Goldzug in Böckstein bei Bad Gastein an. Seit ein paar Tagen ist der Tod Hitlers bekannt. Die Nachricht wird sang- und klanglos hingenommen. „Man spricht nicht viel davon."[45]

Die Salzburger haben andere Probleme. Sie erleben die größte Invasion ihrer Geschichte. Flüchtlinge und Soldaten aus zurückströmenden SS- und anderen Wehrmachtseinheiten kommen ins Land. Gleichzeitig ist die Besetzung Salzburgs im Gang. Über den Obersalzberg dringen Franzosen nach Hallein vor, britische Truppen über Kärnten in den Lungau, Amerikaner aus München nach Salzburg. In die Stadt Salzburg marschieren amerikanische Truppen der 3. Infanterie-Division und der 106. Kavallerie-Gruppe ein; die Stadt wird ihnen kampflos übergeben. An den folgenden Tagen übernimmt das Military Government nach und nach das Kommando und erlässt viele Verordnungen. So auch ein Ausgehverbot, ein Reiseverbot und das Verbot, die rot-weiß-rote Fahne auszuhängen. „Die Salzburger, welche die Amerikaner als Befreier erwartet hatten, sind verwirrt, weil sie in gleicher Weise wie die Deutschen behandelt werden."[46]

---

[45] Ernst Hanisch: „Gau der guten Nerven", Salzburg-München 1997, S. 180.
[46] Erich Marx: „Befreit und Besetzt", Salzburg – München 1996, S. 191f.

Nach Bad Gastein hat sich in den letzten Kriegstagen das diplomatische Korps aus Berlin zurückgezogen.[47,48]

Böckstein liegt wenige Kilometer vom Zentrum Bad Gasteins entfernt in einem Tal, das vom Bahnhof und dem Eingang zum achteinhalb Kilometer langen Tauerntunnel nach Kärnten dominiert wird. Gleich nach der Ankunft des Goldzugs geht Avar in das Büro des Bahnhofvorstands, stellt eine Flasche Rum auf den Tisch und bittet dann, 24 Waggons in den Tunnel verschieben zu dürfen. Das wird ihm gewährt. Die übrigen Waggons, die Avar und Co. seit nunmehr einem Monat als Transportmittel und zugleich als Unterkunft dienen, bleiben auf dem Bahnhofsgelände stehen. Weitere Männer aus der Mannschaft und Zivilpersonen verlassen den Zug. Avar hält sie nicht auf. Er will nur noch die Verantwortung für die Fracht loswerden und das Vermögen einer möglichst neutralen und zuverlässigen Stelle übergeben. Ganz oben auf der Liste steht das Internationale Rote Kreuz. Er lässt also in Bad Gastein nach Vertretern der Organisation suchen. Seine Männer werden nicht fündig, sie treffen nur Beschäftigte der ungarischen Botschaft in Wien aus Zeiten der Szálasi-Regierung. Als nächstes versucht Avar, den Schweizer Konsul zu erreichen und hat Glück. Dieser rät ihm, sich mit seinem Anliegen an die herannahenden US-Truppen zu wenden. Es heißt also abwarten und weiße Flaggen vorzubereiten.[49]

***

---

[47] Dokumentationsarchiv des österreichischen Widerstands, Wien 1991, S. 527f.
[48] Sabine Stehrer: „Der Goldzug", Wien 2006, S. 27.
[49] Ronald W. Zweig: „The Gold Train", New York 2002, S. 110.

Donnerstag, 11. April 1945, Gemeinde St. Lorenzen, Reichsgau Steiermark

Ich war gut vorangekommen, durch St. Lorenzen und Kraubath gekommen und nun am späten Vormittag schon ganz knapp am Ortseingang von St. Stefan ob Leoben. Ganz in meine Gedanken über meine bisherigen Erlebnisse versunken, hatte ich nicht aufgepasst. Jetzt, nur vielleicht hundert Meter vor mir, direkt am Ortseingang, stand ein Trupp von Wehrmachtssoldaten neben einem offenen, großen Steyr-Pkw auf der Straße. Zwei Soldaten kontrollierten gerade ein Fuhrwerk, welches in meine Richtung fahren wollte. Warum die hier kontrollierten, verstand ich nicht, doch dies war ein Hauptstraße und weglaufen ging nicht mehr, die hatten mich schon gesehen. Also ging ich weiter. Sie hielten mich an und ein Obergefreiter sagte: „Papiere!"

Ich hatte keine und dachte mir: „Erwischt!" Er wiederholte: „Papiere!"

Ich sah ihn an und sagte: „Ich habe sie nicht mit!"

Er sah seinen Kameraden an und dann wieder mich: „Wie heißt du, von wo kommst du und wo willst hin?"

Mir blieb nichts anderes übrig, als einfach zu lügen: „Ich bin der Weghuber Franz, komm' vom Holzhacken bei meiner Tante, der Hinterhofer-Bäuerin in Apfelberg, und möchte zurück nach Hause, ich wohn' in St. Michael!"

Der Obergefreite, der mich angehalten hatte, sah mich an und fragte nach: „Du wohnst in St. Michael?" Er deutete hinter sich. Ich blieb dabei und versuchte, nicht nervös oder unruhig auszusehen: „Ja, tut mir leid, dass ich meinen Ausweis vergessen hab'!"

„Na gut, aber das nächste Mal hast ihn mit!" Ich schien ihm unverdächtig, er ließ mich weitergehen. Ich grüßte mit „Heil Hitler" und ging weiter, als er mir plötzlich nachrief: „He du!" Ich drehte mich um.

„Willst mitfahren, wir fahren zurück nach St. Michael?" Er deutete auf den Wagen. Ich konnte schlecht „nein" sagen, aber es war gefährlich, denn wenn sie mich „nach Hause" bringen würden, dann könnte das ganz schlecht für mich ausgehen. Aber ich sagte: „Ja, danke!", ging die paar Schritte zurück und „durfte" dann hinten einsteigen und mich neben zwei andere Soldaten setzen. Der Obergefreite sagte: „Wenn'st aussteigen willst, dann sag's!" und los ging es. Der neben mir sitzende Soldat sagte zu seinem Nebenmann: „War a ziemlich unnötige Aktion, die Kontrolliererei!" Der andere nickte und zog an seiner Zigarette.

Wir fuhren die kurze Strecke nach St. Michael und als ich glaubte, so ziemlich in der Mitte des Orts zu sein, rief ich laut nach vorne: „Danke, danke vielmals!" Der Wagen blieb stehen und ich stieg mit einem „Heil Hitler" aus. Der vorne sitzende Obergefreite wedelte mit der Hand, dann fuhren sie weiter. Das war knapp gewesen und ich beschloss, ab jetzt besser aufzupassen.

Ich war gewarnt, ich musste damit rechnen, dass ich, wenn ich nach Leoben und dann weiter nach Osten Richtung Semmering wollte, vor allem aber in Leoben, das eine größere Stadt war, wieder kontrolliert werden könnte. Also schlug ich mich auf der Straße, auf der ich ein Richtungsschild fand, das nach Leoben zeigte, wiederum seitwärts in die Büsche. Und das war gut so. Denn auf der Straße herrschte viel Verkehr.

Ich kam nur langsam voran und im Nu waren meine Stiefel wieder dreckig. Es war mühselig, neben der Straße weiterzukommen, und die Verlockung, doch auf der ebenen Straße zu gehen, war groß, aber es war zu gefährlich und ich widerstand der Versuchung.

Es dauerte über zwei Stunden, bis ich knapp vor Leoben war. Ich sah ein Schild mit einem Pfeil nach „Donawitz". Gerade als ich überlegte, Leoben irgendwie zu umgehen, hörte ich Motorengeräusch am Himmel und sah eine Staffel Bomber aus dem Süden kommen und gleich konnte ich die ersten Explosionen in der Stadt hören und sah Rauchsäulen aufsteigen. Der Angriff dauerte eine ganze Weile, immer mehr Flugzeuge warfen Bomben ab und dann kam noch eine Staffel Jagdbomber, die mit ihren Waffen den Bahnhof beschossen.

Jetzt war es für mich klar: Ich musste Leoben ausweichen und beschloss, die Richtung nach Donawitz einzuschlagen, obwohl ich nicht wusste, ob dies der Weg in Richtung Bruck an der Mur und Semmering war. Ich war ja schon vor einigen Tagen im Zug in der Gegenrichtung durch Leoben gefahren, aber die Stadt hatte ich nur vom Zugfenster aus gesehen.

***

Dienstag, 8. Mai 1945, Werfen, Salzburg

Am 7. Mai 1945 wird in Reims im Hauptquartier der Alliierten die bedingungslose Kapitulation aller deutschen Streitkräfte vereinbart und dort vertraglich unterzeichnet. Die Einstellung aller Kampfhandlungen in Europa wird mit dem 8. Mai, 23:01 Uhr festgelegt.

Bereits am 4. Mai 1945 wird auf dem Timeloberg bei Wendisch Evern eine Teilkapitulation der drei in Nordwestdeutschland operierenden deutschen Armeen dem britischen Feldmarschall Montgomery erklärt, sie tritt am folgenden Tag um 8 Uhr in Kraft. Die Unterzeichnung der bedingungslosen Kapitulation wie auch die Teilkapitulation waren davor durch den letzten Reichspräsidenten Karl Dönitz autorisiert worden.

Am 8. Mai trifft ein US-Sicherungskommando in Werfen ein. Am 15. Mai folgen 600 US-Soldaten.[50]

***

---

[50] Sabine Stehrer: „Der Goldzug", Wien 2006, S. 31.

Sonntag, 1. April 1945, Südbahnstrecke am Semmering, Reichsgau Steiermark

Es war nicht weit von Spital am Semmering bis Mürzzuschlag und der Zug fuhr nicht schnell, obwohl es bergab ging. Es gab keine weiteren besonderen Ereignisse, es war eine eintönige Fahrt. Alle waren müde, keiner hatte gut und genug geschlafen und das holten jetzt einige von uns nach. In Kapfenberg hielten wir für eine Weile, einer der SS-Soldaten sagte zu einem seiner Kameraden, dass die Lok Wasser und Kohle benötigen würde und dass man hier tanken und laden würde. Nach etwas mehr als einer halben Stunde ging es weiter. Wir fuhren durch Bruck an der Mur und durch einige kleinere Stationen. Auch in Leoben fuhr unser Zug durch, ohne stehen zu bleiben. Wir kamen durch die Station St. Michael und danach noch vorbei an ein oder zwei weiteren kleineren Orten und dann nach Zeltweg. Dort blieben wir wieder stehen und wurden angewiesen, auf unseren Plätzen zu bleiben. Der Obersturmbannführer verließ den Waggon und ich konnte sehen, dass er nach vorne zur Lokomotive ging.

Es dauerte eine ganze Weile, dann kam der Scharführer in den Waggon zurück und der Zug fuhr wieder an. Wir passierten Weißkirchen und einige andere Stationen und die Station Obdach und überquerten, langsam fahrend, den Obdacher Sattel. Jetzt ging es wieder bergab und nach der Station Reichenfels kamen wir dann nach Bad St. Leonhard. Dort hielt der Zug an. Und zwar nicht genau in der Haltestelle, sondern auf einem kurzen Nebengleis, etwas vor der Station. Der Scharführer stieg mit einigen der SS-Soldaten aus, wir aber mussten wieder in unseren beiden Abteilen im Waggon bleiben. Es hätte aber ohnedies keiner von uns hinaus können, da ja die vordere Türe des Waggons versperrt war und vor der hinteren noch immer ein bewaffneter Soldat stand.

Nach über einer halben Stunde konnten wir aus den Fenstern unseres Waggons sehen, dass auf der Straße, die an der Haltestelle vorbeiführte, mehrere mittelgroße Wehrmachts-LKW und ein gedeckter Kübelwagen vorfuhren. Die sieben Lastkraftwagen wurden hintereinander am Straßenrand, der knapp an dem Nebengleis, auf dem unser Zug stand, vorbeiführte, abgestellt. Die Fahrer, es waren die SS-Soldaten, die mit dem Scharführer vorher das Abteil verlassen hatten, stiegen aus und verteilten sich in einem Abstand von ca. 100 Metern rund um die stehende Lastwagenkolonne. Auch auf der anderen Seite unseres Waggons stellten sich zwei bewaffnete Posten auf. Der Obersturmbannführer kam zurück ins Abteil und befahl uns jetzt: „Aussteigen!" Draußen wurden wir in zwei Gruppen zu je zwei Mann eingeteilt. In der dritten Gruppe, in die ich eingereiht wurde, waren wir zu dritt. Der Obersturmbannführer stand vor uns und sagte: „Ihr seid jetzt lange genug auf der faulen Haut gelegen, damit ist jetzt Schluss, das muss jetzt schnell gehen, sehr schnell!"

Die Seitentüre des ersten Waggons wurde geöffnet. Es waren eine ganze Reihe von Kisten mit Werkzeug zu sehen, Schaufeln, Sägen, Spitzhacken, Seile und verschiedenes anderes Zeug.

In zwei anderen Kisten war Sprengstoff, sie hatten seitlich das Hakenkreuz aufgestempelt und waren beschriftet. In einer großen Kiste, bei der der Deckel offen war, konnte ich ein schweres Maschinengewehr, in einer zweiten einige Maschinenpistolen und andere Pistolen sehen. In mehreren Kisten waren Handgranaten und Munition. Das alles kam in die zwei letzten in der Reihe stehenden Lastwagen.

Nachdem wir den ersten Waggon geleert hatten, wurde die Türe des zweiten geöffnet und wir übersiedelten in diesen Waggon, mit der gleichen Aufgabe wie im anderen. Nur befanden sich in diesem Waggon andere Kisten, die in mehreren Reihen dreifach aufeinandergestapelt waren. Wir drei wurden angewiesen, die einzelnen Holzkisten herunterzuheben und dann dem Zweiertrupp von uns so zu übergeben, dass der sie zu den nicht weit entfernten Lastwagen schleppen konnten. Dort wurden sie von den anderen Zweien in die anderen Lastwagen verstaut. Ich konnte sehen, dass manche der Kisten seitlich beschriftet waren. Ich sah auf mehreren Kisten die schwarz aufgestempelten Buchstaben „Ar.p." auf einigen anderen stand „Br." Verschiedene andere Buchstaben waren auf anderen Kisten zu sehen. Viele der Kisten waren nicht beschriftet. Sie waren alle schwer, es war sehr anstrengend, sie hervorzuschaffen und wir mussten schnell arbeiten, kamen ordentlich ins Schwitzen und der Obersturmbannführer trieb uns andauernd an: „Schneller, schneller!"

Wie viele Kisten es genau waren, kann ich nicht sagen, aber es werden schon so ungefähr zwischen dreißig und vierzig Stück gewesen sein. Sie wurden auf drei der noch leeren LKW geladen, aber die Lastwagen wurden nicht voll beladen, sondern nur bis jeweils ungefähr die Hälfte des Laderaums. Ich verstand nicht, warum die Hälfte der Laderäume frei blieb.

Wir waren rasch vorangekommen, seit unserem Aussteigen aus dem Zug war nicht viel mehr als eine Stunde vergangen. Als wir schon fast fertig und ziemlich müde waren und wir die letzten Kisten von hinten an den Rand zur Türe des Waggons zu bringen hatten, geschah es …

***

Donnerstag, 10. Mai 1945, Böckstein, Salzburg

Es werden wieder begehrliche Hände nach der Fracht des Zuges ausgestreckt. Mit dem 10. Mai, dem Christi-Himmelfahrts-Tag, datiert der bis zu diesem Zeitpunkt zehnte Überfall. Diesmal sind es zwei Dutzend Wehrmachtssoldaten, die meinen, die Wachen halten einen Mittagsschlaf, und versuchen, eine Waggontüre aufzubrechen. Als ihnen die Ungarn plötzlich mit Waffen gegenüberstehen, laufen die Soldaten weg.[51]

Am Tag nach dem Überfall schickt Avar wieder einen seiner Männer nach Bad Gastein. Er soll nachschauen, ob schon Amerikaner da sind. Im Hotel Kaiserhof begegnet der Ungar einem Major der US Army. Es gelingt ihm, sich verständlich zu machen. Der US-Soldat informiert seine Vorgesetzten.

Noch am selben Tag inspiziert eine US-Militärkommission zwei der Güterwaggons und stellt fest, dass diese „einen wahren Schatz" enthalten. Stunden später übernimmt ein Offizier der US Army das Zug-Kommando.

An den folgenden Tagen lassen sich die Amerikaner weitere Waggons zeigen. Gemeinsam mit den Ungarn bemerken sie, dass die Plomben mehrerer Waggons aufgebrochen sind. Sie verdächtigen Einheimische des Raubs

---

[51] Gabor Kádár, Zoltán Vági: „Holocaust Era Looted Assets Of Hungarian Jewry", Budapest 2000, S. 34f.

und geben das zu Protokoll. Festgehalten wird, dass „Wertsachen von unbekannten Tätern gestohlen wurden."⁵²

Elsa Huber ist zu dieser Zeit eine junge Frau, die in der Kohlenhandlung ihres Vaters in Bad Hofgastein arbeitet. Ein Ereignis aus diesen Tagen geht ihr nicht mehr aus dem Kopf. Auf einmal, sagt sie, „stehen da zwei SS-Offiziere vor unserer Tür". Sie befehlen ihr, den Lastwagen der Familie – es ist der einzige, den es im Ort noch gibt, alle anderen sind von der Wehrmacht eingezogen worden – zu einem Gasthaus zu bringen. Sich zu weigern, ist undenkbar. Huber folgt also dem Befehl, fährt das Auto vor und sieht, wie zwei Offiziere eine „Kiste aus hellem Holz mit Buchstaben drauf" aus dem Haus schleppen und hinten auf den Lastwagen aufladen. Der eine bleibt bei der Kiste, der andere setzt sich zu ihr. „Schnell, schnell" sagt er, erinnert sich die Frau. Die Fahrt soll nach Zell am See gehen, in die Stadt mit dem weitum einzigen Flugplatz. Als es auf halber Strecke zu einer Reifenpanne kommt, verlieren die Männer die Nerven, sie schreien sie an, helfen aber dann mit, die Panne zu beheben. Am Ziel wartet „mit laufendem Motor" eine kleine Maschine. „Da haben sie die Kiste reingeschleppt und sind gleich losgeflogen."⁵³

Als rund um den Goldzug im Tauerntunnel Pelze und leere Schmuckkisten gefunden werden und in einem Misthaufen in Böckstein ein Versteck mit „Gemälden unbekannter Herkunft" gefunden wird, entscheiden sich die Amerikaner, den Goldzug an einen Ort zu bringen, an

---

⁵² Ebenda.
⁵³ Elsa Huber in einem Gespräch mit der Autorin von „Der Goldzug", Sabine Stehrer, im Jahr 2000. Ob die Ladung aus dem Goldzug stammt, weiß man nicht.

dem er besser zu überwachen ist. Er wird am 16. Mai nach Werfen überstellt.

Avar und Co. fahren mit. Sie wollen eine neue Inventarliste erstellen, um zu wissen, was genau sie nach den Bestechungen, Raubüberfällen und Tauschgeschäften entlang der Route der amerikanischen Kontrolle überantworten. Außerdem wollen sie eine Übergabe-Bestätigung und die Garantie, dass die Fracht später an Ungarn retourniert wird, so wie es mit den Deutschen vereinbart war.[54]

***

---

[54] Ronald W. Zweig: „The Gold Train", New York 2002, S. 124.

Donnerstag, 11. April 1945, Leoben, Reichsgau Steiermark

Mein Plan war, die Innenstadt von Leoben zu umgehen, ein zweites Mal wollte ich nicht aufgehalten werden, das würde wahrscheinlich nicht so gut ausgehen wie in St. Stefan. Ich hatte ein Schild gesehen, das die Richtung nach Donawitz zeigte und beschlossen, vorerst in diese Richtung zu gehen. Aber ich befand mich noch immer in einem Vorort von Leoben und hatte dann Glück, denn etwas weiter zeigte ein anderes Richtungsschild an einer Straßenkreuzung den Namen Niklasdorf an. Ich war fast sicher, bei der Herfahrt mit dem Zug vor einigen Tagen im Vorbeifahren eine Station „Niklasdorf" gesehen zu haben, und deshalb folgte ich der kleinen Straße in diese Richtung. Was sich dann, nach mehr als einer Stunde und nach ungefähr sechs Kilometern, auf denen mich niemand aufhielt, als goldrichtig erwies. Ich erreichte Niklasdorf und folgte weiter der Straße, die teilweise knapp neben der Mur verlief. Ich war mutiger geworden und ging am Rand der linken Straßenseite. Es war nur wenig Verkehr und obwohl auch mehrere Wehrmachts-LKW an mir vorbeifuhren, beachtete mich niemand. Nach weiteren eineinhalb Stunden kam ich nach Bruck an der Mur. Ich durchquerte die Stadt, niemand beachtete mich, niemand kontrollierte mich. Ich hatte mich bei der Kontrolle in St. Stefan ziemlich erschreckt, aber jetzt war ich wieder etwas mutiger geworden. Es war nicht schwer, die Straße nach Mürzzuschlag, zu meinem nächsten Zielpunkt, zu finden, aber ich wusste, dass es bis dort noch ein weiter Weg war. Und es wurde nun schon fast dunkel, ich musste mir bald etwas zum Übernachten suchen.

***

Sonntag, 1. April 1945, Bad. St. Leonhard, Lavanttal, Reichsgau Kärnten

Harald, der einer der beiden „Tragetruppen" angehörte, hatte sich eine der letzten Kisten mit der rechten Hand haltend auf seine Schulter gelegt und ging los, aber etwas zu früh, sein Kamerad hinter ihm hatte die Kiste noch nicht fest im Griff, als diese ihm und dann auch Harald auskam und auf den Boden krachte. Sie zerbrach und der Inhalt fiel auf den Boden. Die beiden standen wie angenagelt da und glotzten erschrocken auf die kaputte Kiste und den herausgefallenen Inhalt.

Der Obersturmbannführer war außer sich, sein Gesicht war plötzlich nur mehr eine bösartige Fratze. Er schrie sie an: „Ihr Idioten, ihr blöden Arschlöcher..." Seine Hand fuhr zu seinem Pistolenholster, er riss seine Pistole, eine 08, heraus und legte auf die beiden an.

Mein Kamerad und ich auf dem Waggon traten unwillkürlich einige Schritte zurück, denn wenn der Offizier in seinem Zorn die beiden unten erschießen würde, dann würde er auch nicht davor zurückschrecken, uns ebenfalls niederzuschießen. Erst im letzten Moment besann er sich und brüllte: „Einräumen, alles wieder einräumen, ihr blöden Hunde!" Dann steckte er die Pistole endlich wieder weg.

Wir drei sprangen vom Waggon und halfen den Inhalt, so gut es ging, wieder in die zerbrochene Kiste zurückzulegen. Die meisten Teile passten nun nicht mehr hinein, wurden unverpackt zu dem Lastwagen getragen und auf Befehl des noch immer zornigen Offiziers neben die Kisten gelegt. Die wenigen letzten Kisten wurden dann auch noch rasch auf den Lastwagen geladen. Danach mussten wir alle hinten auf einen der anderen LKW aufsteigen. Zwei der bewaffneten SS-Soldaten saßen am Ende der seitlichen Sitze hinten knapp vor dem Ausstieg. Keiner von uns konnte sehen, wohin es ging, denn die hintere Abdeckplane unseres LKW war heruntergelassen und verzurrt worden. Nach einigen Minuten starteten die Motoren und die Kolonne fuhr los.

Es ging nun auf der Straße entgegen der Richtung, aus der wir mit dem Zug gekommen waren. Die LKW fuhren eine ganze Weile geradeaus und dann scharf rechts, ich musste mich anhalten, um nicht auf einen neben mir sitzenden Kameraden zu fallen. Ab jetzt ging es wiederum fast immer geradeaus, nur leichte Linkskurven konnte ich wahrnehmen.

Einige Zeit später wurde der LKW langsamer, es ging bergauf, die Straße wurde schlechter und wir wurden ordentlich durchgerüttelt, dann noch später fuhr der Wagen sehr langsam, es ging jetzt noch mehr bergauf und wir rutschten von einer Seite auf die andere. Es musste ein Weg sein, der in einem sehr schlechten Zustand war. Nun wusste ich auch, warum wir die drei LKW nur halb beladen hatten dürfen. Wären sie voll gewesen, hätten sie höchstwahrscheinlich diese Steigung nicht geschafft.

Jetzt hatte ich Zeit, darüber nachzudenken, wo ich da hineingeraten war. Spätestens jetzt war es für mich nicht nur mehr ein Abenteuer. Und der Offizier, der mir, als ich ihn in Wiener Neustadt kennen gelernt hatte, als ein nicht unfreundlicher und korrekter Mann vorgekommen war, hatte sich vollkommen verändert.

Er wirkte jetzt eiskalt und unberechenbar, ich nahm mir vor, mich vor ihm in Acht zu nehmen.

Irgendwann blieb der LKW stehen, wir mussten sitzen bleiben, nur eine der Wachen stieg aus und trotzdem konnten wir nicht viel sehen, nur den LKW, der hinter uns gefahren war und der jetzt unmittelbar hinter unseren stand.

***

Mittwoch, 16. Mai 1945, Werfen, Salzburg

Dass am 16. Mai 1945 der jüdische Goldzug am Bahnhof in Werfen einfährt, findet nirgends Niederschlag. In der Bahnhofchronik klafft nach der Eintragung vom 13. März 1938, in der das Wort „Anschluss" vorkommt, eine Lücke von neun Jahren, die erst ein Bericht über ein schweres Unwetter im Jahr 1947 schließt.

Die geraubten jüdischen Besitztümer werden zunächst in der Nähe des Bahnhofsgebäudes abgestellt – später weiter entfernt auf einem Seitengleis.[55]

Avar und Co. arbeiten an der Inventarisierung. Am Ende notieren sie: eine Kiste mit Goldbarren und Goldmünzen, die 100 Kilogramm wiegt; zehn Kisten, je 45 Kilogramm schwer und vollgefüllt mit Goldschmuck; 32 Kisten voller Golduhren, 30 bis 60 Kilogramm schwer; 18 Kisten mit Juwelen, je 35 Kilogramm schwer; einen Koffer mit 45.000 US-Dollar, 52.000 Schweizer Franken, weiters Britischen Pfund, Palästinensischen Pfund, Kanadischen Dollar, Schwedischen Kronen und Reichsmark; eine Tasche mit Diamanten, 1560 Kisten mit Silber, eine Kiste mit Silberbarren, 3000 Orientteppiche. Dazu eine riesige Menge an Kisten und Koffern mit Kleidung, Pelzen, Briefmarkensammlungen, Kameras, Grammophonen. 8.000

---

[55] Gabor Kádár, Zoltán Vági: „Holocaust Era Looted Assets Of Hungarian Jewry", Budapest 2000.

bis 10.000 Uhren plus zwei Waggons mit „nicht sortiertem" Vermögen.[56]

Während die Inventarisierung in Gang ist, gehen den Ungarn die Lebensmittel aus. Nachschub muss besorgt werden. Eine Salzburgerin beobachtet einen „regelrechten Flohmarktbetrieb" um den Zug und sieht wie, „ein Mann mit drei goldenen Armbanduhren am Handgelenk aussteigt". Ein anderes Mal ein anderer mit einem Gemälde. Einmal wird die Frau Zeugin eines Tauschgeschäfts: „Ich habe gesehen, wie ein großer Solitär, ein Diamant, gegen ein keines Doserl Schmalz eingetauscht wurde."[57]

Die Beobachtungen bestätigt Karl Obauer. „Es stimmt, da ist wohl einiges gedreht worden", sagt der Werfener. Nach seiner Heimkehr aus dem Krieg wundert er sich des Öfteren „über besondere Broschen oder Ketten", die von Bauern getragen werden. „Da hat man dann eben gefragt, woher sie das auf einmal haben und sie haben dann etwas verschämt gesagt: vom Zug unten."[58]

Als die kommunistische ungarische Tageszeitung Szabadság über den Goldzug berichtet und Avar ein Interview gibt, in dem er bedauert, dass er Toldy nicht davon abhalten konnte, mit einem Teil des Vermögens zu verschwinden, das mindestens 31 Kisten mit Gold, zwei Kisten mit Goldmünzen, drei Kisten mit Golduhren, acht Kisten mit Diamanten und zwei Schatullen mit Diamanten und Perlen umfasste, beginnt sich der US-Geheimdienst für den

---

[56] Ebenda.
[57] Der Name der Salzburgerin ist der Autorin v. „Der Goldzug", Sabine Steher, bekannt, Brief an die „Salzburger Nachrichten" 1999.
[58] Interview mit der Autorin v. „Der Goldzug", Sabine Stehrer, im Jahr 2000.

Goldzug zu interessieren. Counter-Intelligence-(CIC)-Offiziere laden Avar zum Verhör.

***

Donnerstag, 11. April 1945, Bruck an der Mur/ Berndorf, Reichsgau Steiermark

Ich begann mich nach einem Nachtquartier umzusehen. Es gab hier zwar einige kleine Bauernhöfe, aber ich getraute mich nicht, bei einem anzuklopfen und um ein Quartier zu bitten. Die Kontrolle in St. Stefan ob Leoben steckte mir noch in den Knochen. Und dann sah ich bei einem Bauernhof eine nicht ganz knapp beim Haus stehende Scheune, bei der ich zur Rückseite leicht und ungesehen kommen konnte. Ich beschloss, mir die Scheune innen anzusehen, vielleicht konnte ich ja darin übernachten. Darin war es dunkel und ich stieß an einen Holzwagen, der auf der Tenne stand. Dann hörte ich das Gackern von Hühnern und fand entlang einer Wand einen Hühnerstall. Die Hühner wurden lauter, aber wo Hühner waren, da waren auch Eier und ich tastete im Halbdunklen mit der Hand in den Stall. Eines der Tiere floh laut gackernd und ich dachte schon, dass mich der Lärm verraten würde, aber dann fand ich drei Eier und nahm sie vorsichtig heraus. Die Hühner beruhigten sich wieder und ich zog mich mit meiner Beute vom Hühnerstall zurück und stieß gegen eine Holzleiter, die auf den Oberstock führte. Ich legte die Eier vorsichtig neben der Leiter ab und kletterte hinauf. Oben war Heu, viel Heu. Es roch angenehm und ich beschloss, hier oben zu übernachten. Hier war ich sicher, es sei denn, es würde jemand heraufkommen, aber das war unwahrscheinlich, frühestens morgen früh würde jemand in die Scheune kommen, aber ich wollte ja ohnehin schon zeitig weiter. Ich schuf mir in dem am weitesten von der Leiter entfernten Eck ein kleines Lager, kletterte aber dann noch einmal hinunter und riskierte einen Blick zum Hof, sicherheitshalber, ich wollte nicht schon wieder überrascht werden.

Draußen war es inzwischen dunkler geworden und niemand war zu sehen oder zu hören. Ich spürte die Müdigkeit, ich war weit gegangen und kletterte mit den drei Eiern vorsichtig wieder hinauf. Die Eier legte ich mir für morgen früh zurecht und schlief nach kurzer Zeit ein.

Geweckt wurde ich durch das laute Krähen des Gockels, ich war noch müde und versuchte mich noch tiefer ins Heu zu vergraben, um noch ein wenig zu schlafen, doch der Hahn hatte eine unglaubliche Ausdauer und nach einiger Zeit gab ich meine Versuche auf und kletterte die Leiter in die Tenne hinunter. Der Gockel war schon draußen, wahrscheinlich gab es in der Scheunenwand irgendwo eine Stelle mit einem Spalt, bei dem er hinauskommen konnte. Mir fiel ein, dass dies ein schöner Eingang für einen Fuchs sein müsste, aber bisher hatte ihn noch keiner gefunden, sonst hätte der Bauer ihn schon wieder verrammelt.

Draußen war es noch dunkel, es dämmerte gerade und meine Uhr zeigte mir, dass es knapp nach sechs Uhr war. Der Hahn beendete jetzt seine Morgenbegrüßung. Ich war durstig und fand zwischen Hof und Scheune einen Brunnen mit einem Pumpschwengel, hoffentlich konnte ich, möglichst ohne zu pumpen, etwas Wasser aus dem Brunnen bekommen. Ich riskierte es nicht, den Pumpschwengel zu verwenden, womöglich quietschte die Pumpe und das könnte mir Probleme bereiten.

Doch der Brunnen war wahrscheinlich umgebaut worden, denn es war auch noch eine Kette vorhanden, die in der Öffnung des Brunnens verschwand. Neben dem Brunnen stand ein Bottich und der ließ sich von mir an der Kette geräuschlos hinunterlassen. Ich konnte dann daraus kaltes, frisches Wasser trinken und mir die Hände und das Gesicht waschen.

Ich hatte Glück, niemand bemerkte mich. Ich zog mich wieder in die Scheune zurück und holte mir die drei bereitgelegten Eier. Sie schmeckten auch roh gut und so hatte ich ein kleines Frühstück.

Dann verließ ich endgültig mein Versteck und machte mich sehr zeitig am Morgen wieder auf den Weg in Richtung Mürzzuschlag.

***

Sonntag, 1. April 1945, Lichtengraben, Lavanttal, Reichsgau Kärnten

Es dauerte eine ganze Weile und es war schon etwas später am Nachmittag, als wir aus dem LKW durften, ich konnte vor unserem einige der anderen Lastwagen sehen, wir standen vor einem Bauernhaus mit einem Nebengebäude und einer großen Scheune mit einem offenen Tor. Darin stand bereits einer der LKW. Wir mussten in einer Reihe antreten. Der Obersturmbannführer stand neben dem Scharführer und auch alle SS-Soldaten, es waren zwölf, standen hinter den beiden. Er befahl: „Zuhören!" und deutete auf das Bauernhaus. „Wir sind hier in unserem Einsatzgebiet, morgen früh beginnen wir mit der Arbeit. Ihr werdet hier im Haus einige Nächte verbringen und ihr seid hier, um zu arbeiten. Was genau zu tun sein wird, das wird euch der Scharführer anweisen. Morgen früh geht es los, dann ist euch sicher nicht mehr langweilig! Kontakte, Sprechen und Unterhalten mit den Zivilisten, der Bauernfamilie sind strengstens verboten, nur der unbedingt nötigste Kontakt ist erlaubt! Das Verlassen des Hauses ohne Erlaubnis ist ebenfalls strengstens verboten! Wer diesem Befehl zuwider handelt, den knöpfe ich mir persönlich vor!" Die Ansprache war an uns sieben gerichtet und er ließ keinen Zweifel daran, dass er es ernst meinte. Dann drehte er sich um und sagte zum Scharführer: „Zwei Mann bewachen den Hohlweg herauf, zwei das

Anwesen, einer die Scheune und die anderen die Wagen, nach vier Stunden Ablöse!"

Ich wusste nicht, mit was für einer Arbeit wir morgen beginnen würden und was er genau damit meinte, aber das Ende seiner Ansprache an uns klang nicht gut und ich beschloss, mich an seine Order zu halten. Die Situation hatte sich seit dem Verlassen des Zuges wesentlich geändert, es waren ab nun immer mindestens ein, meistens aber zwei Soldaten bei uns, um uns zu bewachen. Alles war viel strenger geworden, die Stimmung war jetzt nur mehr als kalt und unangenehm zu bezeichnen. Ob das etwas mit dem Ausladen der Kisten und dem Inhalt der einen zerbrochenen Kiste, über die sich der Obersturmbannführer so aufgeregt hatte, zu tun hatte, konnte ich nicht sagen, aber es war durchaus möglich. Es hatten zwar nicht alle von uns den herausgefallenen Inhalt gesehen, nur ich und meine Kameraden, die wir die Kisten von hinten aus dem Waggon nach vorne gebracht hatten, und Harald und sein zweiter Mann, die diese Kiste zum LKW tragen sollten und denen sie entglitten war. Aber der Obersturmbannführer nahm wahrscheinlich an, dass wir danach alle untereinander darüber gesprochen hatten.

Wir wurden ins Haus eskortiert. In der recht geräumigen Stube befand sich nur der Bauer, ein schon etwas älterer, gramvoll dreinblickender Mann mit herunterhängenden Mundwinkeln und seine Frau, die eine Schürze trug und am Herd in einem Topf am Feuer rührte. Wir wurden angewiesen, uns an den großen Tisch zu setzen, wo wir, etwas gedrängt, alle sieben Platz hatten. Einer der SS-Soldaten blieb im Raum und setzte sich etwas abseits auf einen Sessel.

Ich hatte jetzt Zeit, mich ein wenig umzusehen, und sah, dass es außer der Eingangstüre noch zwei Türen zu Nebenräumen gab und von einer Ecke der Stube eine Holzstiege mit einem Geländer hinauf ins Obergeschoss führte, und dort ganz oben bemerkte ich zwei Kinderköpfe, die neugierig zwischen den senkrechten Streben des Geländers auf uns hinunterschauten. Als sie sahen, dass ich hinaufschaute, versteckten sie sich, um uns kurz darauf wieder zur beobachten. Eines der beiden Mädchen, das konnte ich sehen, war etwas kleiner, ungefähr fünf bis sechs Jahre alt, das andere schon im Schulalter. Auch der SS-Soldat bemerkte sie nach einiger Zeit und verscheuchte sie zurück in die oberen Räume.

Jeder von uns bekam von der Bäuerin einen Teller mit einem Gemüseeintopf und sie stellte einen Krug mit Wasser in die Mitte des Tisches, sodass sich jeder sein Glas füllen konnte. Zwar konnte ich nicht feststellen, woraus der Eintopf genau bestand, aber es waren Erdäpfel, Kukuruz und Bohnen darin und er schmeckte gut.

Nach dem Essen wurden wir angewiesen, auf den Hof vor dem Haus zu treten, es war jetzt schon dunkel geworden. Zwei Soldaten bewachten uns, während wir uns beim Brunnen mit kaltem Wasser waschen konnten. Dann wurden wir wieder zurück ins Haus gebracht, erhielten jeder eine Decke und wurden angewiesen, uns einen Platz zum Schlafen zu suchen. Das war nicht einfach, denn die Stube war zwar groß, trotzdem wurde es eng für uns sieben. Wir setzten uns noch eine Weile an den Tisch, aber so wirklich gemütlich war die ganze Sache nicht und wir wussten auch nicht, worüber wir reden sollten, die Wache hörte mit, bis es hieß: „Licht aus, Ruhe! Morgen früh geht's zeitig los!"

Dienstag, 12. Juni 1945, Werfen, Salzburg

Avars Frau macht sich Sorgen. Sie besteht darauf, dass er nicht allein zu den CIC-Offizieren zum Verhör geht und einen seiner Männer, Steffan Mingovits, mitnimmt, der schon in Budapest einer von Avars Mitarbeitern und zugleich einer der Beamten war, die so wie Avar nicht der Pfeilkreuzler-Partei angehörten. Als „Doktoren" sowie „Bürgermeister" und „Finanzrat" stellen sich die beiden den Amerikanern vor. Die Fragen der Counter-Intelligence-Offiziere lauten:
1. Woher kommt der Inhalt des Zuges?
2. Wie kam er nach Brennberg?
3. Ist dort eine Inventarliste angefertigt worden, oder wurde der Inhalt nur sortiert?
4. Was ist der Grund für das hektische Verpacken?
5. Wann und wie sind sie (Avar und Mingovits) in den Zug gelangt?
6. Wie viele Raubüberfälle passierten während der Fahrt und den Stopps an der Route und was wurde dabei gestohlen?
7. Wie oft sind die Waggons geöffnet worden?
8. Was passierte mit dem Zug in der Obhut der Amerikaner?
9. Wie oft inspizierte der US-Geheimdienst die Waggons?

Die Antworten die Avar und Mingovits geben, fallen knapp aus.

Walker M. Treece, Oberleutnant der Infanterie, fasst sie in fünf Punkten zusammen:

1. Als wir den Zug am 30. März 1945 in Brennberg, Ungarn, übernahmen, kannten wir den genauen Inhalt nicht. Die Goldkisten wurden von Dr. Lászlo Avar auf verschiedene Waggons aufgeteilt, um sie vor Fliegerangriffen und Überfällen zu schützen.
2. Noch bevor wir den Zug auf dem Bahnhof in Brennberg übernahmen, wurden die Kisten und Koffer und die Umschläge aufgemacht, um den Inhalt zu sortieren. Es war geplant, alles Gold und Silber zusammenzulegen und einzuschmelzen. Auch die Säcke aus den Banken wurden geöffnet, um das Gold und die Diamanten zu sortieren. Die Arbeit konnte aber nicht beendet werden, da die Russen näher kamen.
3. Wir hatten den Eindruck, als ob alles in großer Eile gemacht wurde. Dr. Árpád Toldy gab den Befehl aus, die Wertsachen wieder in die geöffneten Kisten, Koffer und Umschläge zu geben und wieder auf den Zug zu laden.
4. Wir schwören, dass Dr. Árpád Toldy in Brennberg in zwei Lastwagen das meiste Gold und die meisten Diamanten abtransportierte.
5. Insgesamt wurde zehn Mal versucht, den Zug zu berauben. Das erste Mal in Brennberg von ungarischen Nazis und danach neunmal von der SS.

Das Protokoll des Verhörs, das im Werfener Kloster stattfindet, ist mit 28. Juli 1945 datiert. Avar und Mingovits beeiden ihre Aussagen. Sie beide und die übrigen Männer, Frauen und Kinder, die jetzt noch im Zug sind, werden in ein Flüchtlingscamp überstellt.

Die 24 Waggons mit dem ungarisch-jüdischen Vermögen haben die Amerikaner schon zu ihrem „Collecting Point" in Salzburg-Stadt transferiert.

Das Vermögen aus Ungarn ist für sie „teils geraubtes Gut, teils Eigentum von Flüchtlingen". Avars Bemühungen um eine Übergabe-Bestätigung mit Rückgabe-Garantie bleiben vergeblich. Noch im Sommer 1945 kehrt er so wie die übrigen Ungarn aus dem Flüchtlingscamp in einem Heimkehrerzug nach Ungarn zurück. Über sein weiteres Leben ist nichts bekannt.[59,60]

***

---

[59] Sabine Stehrer: „Der Goldzug", Wien 2006, S. 32-34.
[60] Ronald W. Zweig: „The Gold Train", New York 2002, S. 124.

Freitag, 12. April 1945, Bruck an der Mur/Berndorf, Reichsgau Steiermark

Ich war nun schon zwölf Tage von zu Hause weg und jetzt wollte ich nur mehr wieder zurück dorthin. An den ersten Tagen war das alles für mich nur eine Abwechslung, ein Abenteuer gewesen, aber bald merkte ich, dass ich mich da auf etwas eingelassen hatte, von dem ich nicht wissen würde, wie es ausgehen könnte. Und ab dem Moment an der Bahnstation, als uns der Offizier mit seiner Pistole bedroht hatte, wollte ich weg, bei erster Gelegenheit weg, wieder heim, also marschierte ich jetzt wieder los. Schon seit einigen Tagen drückte mich mein Gewissen, sicherlich machten sich meine Eltern große Sorgen, meine Mutter weinte sich höchstwahrscheinlich die Augen aus. Es war idiotisch von mir gewesen, dem Angebot des SS-Offiziers zum Mitkommen zu folgen, ohne etwas davon zu Hause zu sagen. Der Gewissenswurm biss mich heftig und ich war fest entschlossen, so bald als möglich wieder zu Hause bei meinen Eltern aufzutauchen.

Ich fand bald eine kleine Straße, die an einem Bach entlang führte und entschloss mich, dieser zu folgen. Einige Hundert Meter weiter stand ein Straßenschild, das die Richtung nach Kapfenberg anzeigte.

Viel Verkehr an diesem frühen Morgen gab es nicht, auf den ersten Kilometern begegnete mir niemand, nur einige Militär-LKW fuhren an mir vorbei, ohne mich zu beachten, alle in Richtung Kapfenberg. Ich erreichte es nach einer halben Stunde und durchquerte es, das war ein wenig mühsam, da ich mich einmal in die falsche Richtung wandte, doch die erste Person, der ich begegnete, war eine Frau, die ich nach dem Weg Richtung Mürzzuschlag fragte. Sie musterte mich ein wenig und sagte dann. „Na, da ist ja noch ein schönes Stück, du musst zuerst über St. Marein nach Kindberg und Krieglach und dann bist du bald in Mürzzuschlag, also immer der Nase nach!" Ich war froh, dass ich dann bald auf einen Wegweiser in Richtung St. Marein stieß, das war dann nicht mehr weit. Etwas vor St. Marein verließ ich die Hauptstraße wieder, denn jetzt fuhren immer wieder Militärfahrzeuge in die gleiche Richtung, in die ich ging, und ich wollte nicht wieder angehalten werden. Es war nicht ganz leicht in den Nebenstraßen die Richtung zu halten, aber als ich am Ortsende von St. Marein war, gab es nur mehr die eine Straße, die weiter führte und ich musste wohl oder übel auf ihr bleiben. Ich kam jetzt nur mehr langsam voran, denn immer wenn ich Fahrzeuge herankommen hörte, verdrückte ich mich in die Büsche am Straßenrand, das war mühsam. Es war nur eine kurze Strecke bis Kindberg, doch ich brauchte bis dorthin fast eineinhalb Stunden.

***

Montag, 2. April 1945, Lichtengraben, Lavanttal, Reichsgau Kärnten

Um sechs Uhr brüllte einer: „Auf, auf, ihr faulen Säcke, jetzt geht's los!" Ich hatte nicht gut geschlafen, war noch eine ganze Zeit lang wach gelegen, der Boden war hart und kalt und dann hatten einige meiner Kameraden zum Schnarchen begonnen und ich brauchte noch länger, um einschlafen zu können. Einige Male war ich wach geworden und konnte dann wiederum nur schwer weiterschlafen. Ich klopfte mir ein Gähnen vom Mund, dann hieß es schon: „Raustreten, waschen und kleine Verpflegung fassen!"

Das Wasser am Hof war kalt, aber es weckte mich ein wenig auf und nachdem wir die Morgentoilette beendet hatten, erhielten wir jeder ein kleines Jausenpaket, in dem sich zwei Scheiben Brot und etwas Käse befanden. Aber wir hatten keine Zeit, dieses kleine, magere Frühstück zu essen, sofort ging es mit zwei der SS-Soldaten zu dem LKW, auf den das Werkzeug geladen war, und jeweils zwei von uns wurde eine Werkzeugkiste zugeteilt. Der von uns sieben übrig gebliebene Mann bekam zwei Hacken, zwei Schaufeln und zwei Brechstangen auf die Schulter geladen. Mit den zwei SS-Soldaten, einer vor uns, der andere hinter uns, ging es auf einem Forstweg, der vom Bauernhof weg führte, in den Wald. Es war nicht sehr weit, weniger als zehn Minuten Gehzeit. Hans und ich schleppten eine der Kisten. Sie war schwer und es war eine ganz schöne Schufterei. Dann hieß es: „Halt!" Wir waren jetzt bei einem Hang angekommen und darunter, am Rand des vorbeirinnenden Baches mussten wir die Kisten abstellen. Von hier war auf dem Hang in ungefähr halber Höhe ein Loch zu sehen, wahrscheinlich ein Eingang in einen Stollen. Der Eingang sah nicht sehr groß und auch nicht breit aus. Zwei Männer würden ihn nicht nebeneinander, sondern nur hintereinander gehend betreten können und bücken müssten sie sich auch, wenn sie überhaupt zu ihm hinaufkommen würden. Es führte kein Weg dort hinauf. Viele Bäume und eine Menge Büsche wuchsen so, dass man das Loch von unten nur von unserer jetzigen Position aus, knapp vor dem Bächlein, sehen konnte. Auf dem ganzen Hang standen noch viele andere Bäume und viele Büsche. Etwas weiter oberhalb, am oberen Ende des Hanges über der Öffnung, standen nur noch einige wenige Bäume, ein großer Felsüberhang war darüber zu sehen. Hier unten am Ende des Hanges war der Bach, der ein kleines Rinnsal war. Am Rand war der Boden feucht, tief und gatschig.

Der Obersturmbannführer, der Scharführer und zwei Soldaten waren schon da. Neben dem Bächlein luden wir die Kisten ab und wurden dann angewiesen, die ersten Bäume, die von unten gesehen auf dem Hang standen, umzuschneiden. Ich hatte noch nie einen Baum gefällt und wurde zum Sägen eingeteilt. Auch das war harte, anstrengende Arbeit und immer einer von uns beiden wurde von einem Kamerad nach einiger Zeit an der Säge abgelöst. Dann wurde ein Keil in den ausgesägten Zwickel am Stamm nahe dem Boden geschlagen und bald darauf fiel der Baum um. Die anderen vier Kameraden mussten ihn nun zur Seite schaffen, während wir schon den nächsten Baum ansägten.

Die SS-Soldaten standen nur herum und rührten keinen Finger. Sie hatten ihre MP umgehängt und beäugten interessiert unsere Arbeit, der Scharführer beaufsichtigte das Ganze und gab uns hin und wieder Befehle, was als Nächstes zu tun sei.

Er verstand etwas davon und wies uns an, die Bäume immer knapp über dem Boden anzusägen. Einige Male befahl er: „Weiter unten ansetzen!" Dadurch waren die Baumstümpfe dann nur kurz und wenig hoch, knapp über dem Boden. Aber wir mussten uns deshalb tief bücken, es war sehr anstrengend. Nach zwei Stunden gab es eine kurze Pause, wir erhielten Wasser und konnten das mitgebrachte Brot und den Käse essen. Zu Mittag hatten wir zwar einige Bäume gefällt, aber das war noch nicht einmal ein Drittel aller Bäume, die bis zu dem Felsüberhang schon etwas weiter den Hang hinauf standen. Wir konnten nicht viel miteinander sprechen, es hieß immer sofort: „Ruhe und weitermachen!" Warum die Bäume gefällt wurden, wusste niemand von uns.

Um zwölf Uhr hieß es endlich: „Pause!" Sie wurde von einigen von uns genützt, um am Rand des Waldes auszutreten, die SS-Soldaten behielten uns dabei genau im Auge, wir mussten dann sofort wieder zurück, hinunter zum Rand des kleinen Baches, dort durften wir uns hinsetzen. Jetzt konnten wir uns miteinander unterhalten, aber kaum dass einer über den Stolleneingang zu sprechen begann, hieß es wieder: „Klappe halten!" Gespräche über den Zweck der Arbeit wurden genauso sofort verboten.

Der Nachmittag verlief wie der Vormittag, wir fällten Bäume. Am Spätnachmittag hatten wir uns schon etwas weiter am Hang hinaufgearbeitet, aber noch immer standen Bäume weiter ober uns auf dem Hang bis zu den überhängenden Felsen. Es dauerte immer länger, die gefällten Bäume wegzuschaffen, auch wenn sie den schon freien Teil des unteren Hanges hinunterrollten. Sie wurden einer nach dem anderen beiseite geschafft und dort, samt ihren Ästen, so gut es ging, einfach liegen gelassen. Bald war aber schon kein Platz mehr für die nächsten und sie mussten dann etwas weiter weggeschafft werden, es wurde immer mühsamer. Das Beseitigen der Sträucher war allerdings etwas einfacher und hielt nicht so auf, denn die herausgerissenen Teile konnten wir fast immer einfach liegen lassen.

Nach sechs Uhr hieß es: „Schluss für heute!" Wir legten das Werkzeug zusammen und dann ging es wieder zurück zum Bauernhaus.

***

Montag, 30. April 1945, Feldkirch, Reichsgau Tirol-Vorarlberg

Während an diesem Tag gegen 15.30 Uhr im Führerbunker, unter der von der russischen Artillerie beschossenen Reichskanzlei in Berlin, Eva Braun und Adolf Hitler Selbstmord begehen, München von der 7. US-Armee besetzt wird, Titos Partisanen Triest besetzen und britische Zerstörer im Indischen Ozean einen japanischen Geleitzug vernichten, steigt Árpád Toldy, der 1944 vom ungarischen Staatsoberhaupt und Parteichef der Pfeilkreuzler Ferenc Szálasi für seine „besonderen Verdienste um die Mitwirkung an der Judenvernichtung" zum Leiter des Büros für Beschlagnahmungen ernannt wurde, in Feldkirch im Reichsgau Tirol-Vorarlberg mit Frau und Sohn im Hotel Post ab.

Die Toldys und vermutlich auch die Markovits' wollen in die Schweiz.

Mehrmals wird von Toldy die ungarische Gesandtschaft in Bern kontaktiert. Sie soll ihm gegen Gold Einreise- und Aufenthaltsgenehmigungen „für eine kleine Gruppe von Ungarn" beschaffen.

Als Toldy erfolgslos bleibt, bittet er den Balkan-Experten des SS-Geheimdienstes Wilhelm Höttl[61] um Hilfe. Der

---

[61] Wilhelm Höttl war ein österreichischer SS-Offizier (SS-Obersturmbannführer), Mitarbeiter des Reichsicherheitshauptamtes und des Sicherheitsdienstes. Er musste nach dem Kriegsende damit rechnen, dass ihm seine

weiß schon Bescheid. Seit einem Jahr lässt er das Telefon der Gesandtschaft abhören. Gegen zehn Prozent des Vermögens verspricht er, die Kisten in die Schweiz zu überstellen sowie zu den gewünschten Pässen und Einreisegenehmigungen zu verhelfen.[62]

Bereits am 29. April 1945 schleppen Toldys Fahrer und der Portier des Hotels Post sechs Kisten aus dem Lastwagen in Toldys Zimmer.

---

mögliche Rolle als SD-Mann in Budapest 1944 bei der Deportation von mehr als 400.000 ungarischen Juden nach Birkenau einen Prozess samt Todesurteil als Kriegsverbrecher einbringen würde. Noch dazu, wo angeblich auf sein Geheiß ein langer „Goldzug" mit enormen Werten aus jüdischem Vermögen gen Westen in Richtung Aussee gerollt sein soll. Er entging dieser Anklage, weil er als Zeuge im Kriegsverbrecherprozess gegen Eichmann ausgesagt hatte, und baute später für den US-Nachrichtendienst CIC eine Spionagezentrale in Gmunden auf. („Die Presse" – 14. März 2010) Er leitete ab 1952 die Privatmittelschule Bad Aussee. Sie wurde unter anderen von Jochen Rindt und André Heller besucht. Letzterer bezeichnete sie als „Nazi-Reservat" (Ani Reng, 2010, „Der österreichische James Dean"), Höttl stellte Heller, anspielend auf die in der Familie nicht gelebte jüdische Herkunft, am ersten Schultag 1958 mit folgenden Worten der Klasse vor: „Das ist der Heller, setzt euch nicht neben ihn, der hat böses Blut." („Der Standard", 29. April 2005). Seine NS-Vergangenheit holte Höttl immer wieder ein: Aus seiner staatspolizeilichen Akte geht hervor, dass Ungarn 1961 um seine Auslieferung ansuchte. Hauptvorwurf: Er habe 1944 den Putsch der faschistischen Pfeilkreuzler mit vorbereitet und sei für die Verschleppung und den Tod von Zehntausenden ungarischen Staatsbürgern sowie für die Ausraubung Ungarns verantwortlich. Aufgrund rechtlicher Bestimmungen sah sich die Bundesregierung „keinesfalls in der Lage", Höttl auszuliefern. Allerdings räumte man Ungarn ein, Informationen für ein entsprechendes Verfahren in Österreich zu übermitteln. Dazu kam es aber nicht. Der als „belastet" eingestufte Höttl war schon 1951 vom Bundespräsidenten begnadigt worden. („profil" – 4. Dezember 2013). Höttl wurde im Sommer 1995 vom Sohn seines alten Freundes Josef Krainer, dem gleichnamigen Landeshauptmann Josef Krainer jun., trotz Protesten der „Lagergemeinschaft Mauthausen" das Goldene Ehrenzeichen des Landes Steiermark verliehen. Und noch heute gibt es als „Erinnerung" an diesen „ehrenwerten Bürger" in Altaussee einen Dr. Höttl-Weg.

[62] Sabine Stehrer: „Der Goldzug", Wien 2006, S. 36.

Am nächsten Tag hilft der Portier einem deutschen Offizier die Kisten wieder vors Hotel und in ein Auto zu tragen.

Die Kisten, die sich jetzt noch auf dem Lastwagen befinden, werden an der Grenze zu Liechtenstein bei einer Ziegelfabrik vergraben. Geplant ist, zunächst dorthin auszureisen und das Raubgut von Liechtenstein aus zu bergen, ehe es weiter in die Schweiz geht. Ob dieses Vorhaben gelingt und was aus Höttls Anteil an dem Vermögen wird, weiß man nicht.[63]

***

---

[63] Ronald W. Zweig: „The Gold Train", New York 2002, S. 124.

Freitag, 12. April 1945, Kindberg, Reichsgau Steiermark

Schon vor Kindberg war mir aufgefallen, dass viele Heeresfahrzeuge Richtung Mürzzuschlag fuhren. Ich konnte, meistens hinter Büschen und Bäumen stehend, sehen, dass auf einigen LKW Soldaten saßen, zum großen Teil sehr junge und ältere – Volkssturm. Ich nahm an, dass man die Soldaten in Richtung Front brachte, von der ich nicht wusste, wo sie sich jetzt befand. Bei unserer Herfahrt mit der SS hatten wir vor zwölf Tagen das Geschützfeuer aus der Richtung von Wiener Neustadt gehört. Also bemühte ich mich ab jetzt noch mehr, nicht gesehen zu werden, es konnte ja sein, dass sie mich einfangen und mitnehmen würden, und ich wollte nach Hause, nichts anderes, nur nach Hause.

Es war anstrengend, weil ich mich immer wieder vor vorbeifahrenden Fahrzeugen verstecken musste, trotzdem kam ich weiter und nach Stunden, am späten Nachmittag erreichte ich Mürzzuschlag. Ich wusste, dass ich die Stadt nicht betreten sollte, dort würde man mich wahrscheinlich wieder kontrollieren und ich war auch sicher, dass ich dann nicht mehr weiter kommen würde. Deswegen beschloss ich, die Stadt in Richtung Semmering zu umgehen. Das war nicht einfach, es gab nicht viele Möglichkeiten, die Straßen ungesehen zu überqueren, aber es wurde nun schon langsam dunkel und ich musste mir eingestehen, dass ich es heute auf keinen Fall bis über den Semmering schaffen würde. Und dann hörte ich Geschützfeuer. Dumpf, grollend und böse. Weit weg, genau aus der Richtung kommend, in die ich wollte, vom Semmering her.

Jetzt war es schon fast ganz dunkel und ich musste mir irgendwo eine Möglichkeit zum Übernachten suchen, bei Dunkelheit wollte ich auf keinen Fall weitergehen. Hier gab es nirgends einen Heustadel oder eine Scheune, in der ich mich über Nacht hätte verkriechen können. Es war schon kühl geworden und noch dazu fing es jetzt stark zu regnen an. Dann sah ich in einiger Entfernung ein ganz kleines, schwaches Licht, das aus einem Haus mit einem Nebengebäude kam. Fast hätte ich es übersehen, da in den Nächten wegen der Bombenangriffe überall verdunkelt wurde. Ich entschloss mich, dort beim Haus anzuklopfen und um eine Nächtigungsmöglichkeit zu ersuchen. Dies erschien mir nicht besonders riskant. Es waren keine Fahrzeuge dort zu sehen, also ging ich auf die Eingangstüre zu und klopfte an. Ich musste zweimal klopfen, bevor jemand kam, innen aufschloss und die Türe einen Spalt breit öffnete. Es war ein Mädchen, das ich aber in der Dunkelheit nur schlecht erkennen konnte, sie hielt eine Petroleumlampe in der Hand.

Sie streckte den Kopf vor und sagte: „Ja, bitte?"

Ich war ein wenig überrascht, dass mir ein Mädchen, das wahrscheinlich ungefähr in meinem Alter war, öffnete, und sagte: „Ich …, ich bitte um eine Übernachtungsmöglichkeit."

Sie öffnete die Türe ein wenig mehr und musterte mich von oben bis unten.

„Wer bist du und was willst du?"

Jetzt konnte ich sie besser sehen, sie war hübsch. Sehr hübsch. Sie hatte große Augen, einen großen Mund mit schönen Lippen, ihre Haare waren dunkel und sie war sehr schlank.

Ich glotzte sie eine ganze Weile an und es dauerte, bis ich wieder etwas herausbrachte.

Sie fragte: „Und?"

Mir fiel nichts anderes ein und ich wiederholte wie ein Papagei und stotternd:

„Ich, ich bitte um eine Übernachtungsmöglichkeit."

Sie merkte meine Verlegenheit, weil ich sie noch immer anstierte und grinste:

„Komm' einmal da herein, du wirst ja ganz nass"!

Sie öffnete die Türe.

Es regnete nun schon sehr stark und das Wasser lief über mein Gesicht, ich hatte es nicht einmal bemerkt, weil ich noch immer völlig von der Rolle war und wie ein hilfloser Idiot dastand, bis sie sagte:

„Was ist jetzt, kommst du rein, oder willst du draußen bleiben?"

Ich war patschnass und trat nun, etwas vorsichtig, in den Eingangsbereich.

Sie sagte: „Bleib' einmal da stehen, ich komm' gleich wieder!" Sie stellte die Lampe auf eine grün bemalte Bauerntruhe, die an einer Wand des Eingangsflurs stand, und verschwand hinter einer Türe. Über der Truhe hing ein Spiegel und obwohl das Licht schwach war, konnte ich mich sehen, ich sah aus wie ein halb Ertrunkener, den man gerade aus dem Wasser gezogen hatte. Ich versuchte, mir die Haare zurecht zu streichen, zu spät, denn sie war schon wieder da:

„Zuerst solltest du dich einmal abtrocknen!" Sie reichte mir ein Handtuch, das sie offensichtlich gerade geholt hatte.

Ich brachte ein „Danke" heraus und trocknete mir den Kopf und das Gesicht ab, versuchte aber darauf zu achten, dass ich meine Haare nicht durcheinanderbrachte, und tupfte nur auf ihnen herum.

Sie merkte das, grinste wieder und sagte: „Besser trocken und ohne Frisur als nass und auch ohne Frisur!"

Ich fühlte mich nun vollends wie ein Vollidiot und beschloss, vorerst möglichst keine dummen Aktionen zu starten und auch keinen Blödsinn mehr zu reden. Sie gefiel mir, auch ihre Bemerkungen, ihr Grinsen und natürlich ihr Aussehen und das alles machte mich verlegen.

„Zieh' dir die Schuhe aus und komm' rein!" Sie öffnete die Türe, die in die Stube führte, und ich ging auf Socken hinter ihr hinein.

Es war niemand anderer darin, sie bemerkte meinen Blick und sagte: „Meine Mutter ist mit meiner kleinen Schwester drüben bei den Nachbarn, sie kommen dann wieder."

Dann fuhr sie fort: „Also, von woher kommst du und wo willst du denn hin?"

Sie machte eine einladende Handbewegung und setzte sich an einen großen Holztisch, der in der Stube stand, darüber ein Herrgottswinkel.

Ich hockte mich an den Rand des Stuhls, der ihr gegenüber stand, sagte ihr meinen Namen und dass ich auf dem

Weg nach Hause, nach Hornstein im Gau Niederdonau, war und aus Kärnten kam.

Etwas unvermittelt fragte sie mich:

„Und wie alt bist du?"

Ich sagte zu ihr: „Bald sechzehn" und dann gleich weiter, um aus meiner Verlegenheit herauszukommen, aber ohne nachzudenken: „Und du, wie heißt du und wie alt bist du?"

Sie hob die Nase hoch, es sollte etwas unangenehm berührt aussehen, aber ich merkte gleich, dass sie nur Spaß machte:

„Nach dem Alter fragt man eine Dame nicht!"

Sie fuhr dann im normalen Tonfall fort:

„Ich heiße Marie und ich bin auch ungefähr so alt wie du, aber was hast du denn in Kärnten gemacht?"

Ich wollte ihr eigentlich nichts Genaues erzählen, aber jetzt dachte ich mir, dass ich ihr sicher mehr sagen konnte als jedem anderen:

„Ich war bei einem Arbeitseinsatz in Kärnten, aber ich bin dort abgehauen, weil die …"

Jetzt wusste ich nicht weiter, ich hatte mich ein wenig verplappert.

Sie sah mich mit ihren großen Augen an: „Weil die … was? Ich verrat' dich nicht!"

Ich starrte sie an und sagte, fast automatisch und ohne nachzudenken: „… weil die SS alle umgelegt hat, nur ich konnte davonlaufen!"

Jetzt starrte sie mich an: „Solche Schweine! Und jetzt willst natürlich nach Hause."

Ich nickte und sagte: „Ich wollte schon heute über den Semmering weiter, aber …"

Sie antwortete: „Sei froh, dass das nicht funktioniert hat, die Front zu den Russen ist jetzt am Semmering, das wär' sehr gefährlich geworden."

Aha, dachte ich, deshalb die Militärfahrzeuge, die ich mit dem Volkssturm in diese Richtung fahren gesehen hatte.

„Aber ich möchte unbedingt nach Hause, wer weiß, wie lange das noch dauert!"

Sie nickte und sagte: „Vielleicht kann ich dir helfen, meine Tante wohnt in Steinhaus, das ist noch vor der Front … wenn's so bleibt. Und mein Vater ist Förster, er ist jetzt beim Militär, aber er hat ein großes Revier dort oben. Ich war schon sehr oft mit ihm dort und ich kenn' mich in dem Revier sehr gut aus, nicht einmal er hat mich finden können, als ich mich einmal dort versteckt hab'. Und ich bin auch schon einige Male bis Gloggnitz gegangen.

Also, jetzt warten wir einmal. Wenn meine Mutter zurückkommt, werde ich mit ihr reden, dass du heute hier bei uns über Nacht bleiben kannst. Und morgen sehen wir weiter!"

Es dauerte nicht lange, ich saß, ohne etwas zu sagen, da und beobachtete sie, wie ich glaubte möglichst unauffällig, dann hörten wir, dass die Mutter mit ihrer kleinen Schwester ins Haus kam. Marie sagte: „Bleib' hier sitzen, ich rede mit ihr" und ging in den Flur.

Nach kurzer Zeit kam sie mit ihrer Mutter und der kleinen Schwester, die patschnass war und die gleichen Augen wie Marie hatte, wieder herein und stellte mich ihrer Mutter vor. Sie war eine nette Frau, gab mir die Hand, lächelte und sagte: „Natürlich kannst du heute über Nacht da bleiben und morgen werden wir dann schon weitersehen!"

Marie trocknete mit einem Handtuch den Kopf der Kleinen ab. Die Mutter ging zum Herd und stellte mir dann einen Teller mit Erdäpfelsuppe auf den Tisch. Es war Kümmel darin und sie schmeckte sehr gut.

Dann führte mich Marie in ein kleines Zimmer nach oben, in dem ich heute Nacht schlafen konnte. Sie zeigte mir dann auch das Badezimmer unten, ich bekam warmes Wasser und ein Handtuch, ich konnte mich, nach einigen Tagen nur mit Katzenwäsche, jetzt das erste Mal wieder ordentlich waschen. Etwas später klopfte Maries Mutter an die Türe des Badezimmers. Ich öffnete sie einen Spalt und sie sagte zu mir: „Gib mir deine Wäsche, dein Hemd und deine Unterwäsche, ich wasche sie noch rasch durch und hänge sie dann zum Ofen. Morgen, wenn ich dich wecke, bringe ich sie dir wieder!"

Das war für mich peinlich, denn meine Unterwäsche konnte man beim besten Willen nicht mehr sauber nennen. Ich hatte sie, seit ich von zu Hause weg war, durchgehend getragen und der strenge Geruch, der von ihr ausging, war schon heftig, aber ich hatte keinen Ersatz und ich musste sie verwenden.

Ich wickelte die Socken, das Unterhemd und meine Unterhose in die Bluse, gab ihr die Sachen und bedankte mich. Es gelang mir, ohne gesehen zu werden, mit umgebundenen Handtuch wieder hurtig hinaufzuhuschen, ich schlüpfte dann in das saubere, schön bezogene Bett und schlief nach ganz kurzer Zeit ein.

***

Montag, 2. April 1945, Lichtengraben, Lavanttal, Reichsgau Kärnten

Wir waren zurück ins Bauernhaus gekommen und todmüde. Die Arbeit auf dem Hang war anstrengend gewesen und nachdem wir uns gewaschen hatten, bekamen wir in der Stube von der Bäuerin jeder einen Teller Suppe und danach Erdäpfelgulasch mit einem Stück Brot. Zu trinken gab es Wasser. Wir hatten Hunger und löffelten die Suppe und das Gulasch in uns hinein.

Das ältere Mädchen, das ungefähr neun Jahre alt war, beobachtete uns, die Kleinere war nicht zu sehen. Etwas später konnte ich hören, wie die Bäuerin die ältere Tochter nach der Kleinen fragte. Doch die zuckte nur die Schultern und sagte:

„Gerade war sie noch da!"

Die Mutter befahl ihr: „Such' sie und schau, dass sie nicht hinausgeht!"

Nach einiger Zeit, wir saßen noch am Tisch zusammen, kam die Größere mit der Kleinen an der Hand in die Stube zurück und sagte zu ihrer Mutter:

„Sie war draußen, ich habe sie gerade beim Zurückkommen erwischt, sie ist durch das lockere Brett im Vorraum geschlüpft!"

Die Kleine zeterte: „Schiagangale, Schiagangale!"

Ich verstand sie zuerst nicht, doch dann kam ich drauf, was das kärntnerische Dialektwort bedeutete: Petze.

Die Bäuerin nahm die kleine Tochter an der Hand und schimpfte:

„Ich habe dir doch gesagt, du darfst nicht hinausgehen. Wo warst du denn?"

Die Kleine druckste ein wenig herum, doch dann gab sie zu:

„Ich war nur in der Scheune, da sind lauter goldene Ziegeln!"

Die Mutter hielt ihr den Mund zu und sah zu uns herüber:

„Pssst, sei still, das geht uns nichts an!"

Ich wusste nicht, wer von uns allen, die wir am Tisch saßen, das mitbekommen hatte. Harald, der neben mir saß, und ich taten so, als ob wir nichts gehört hätten. Gerade jetzt waren auch keine Soldaten im Raum und niemand sprach dann noch darüber.

An diesem Abend musste uns niemand die Nachtruhe anschaffen, müde und ohne viele Worte nahmen wir mit unseren Decken die Schlafpositionen wie in der vorigen Nacht ein. Ich war die schwere Arbeit nicht gewohnt und so müde, dass ich fast sofort ein- und bis zum nächsten Morgen auf dem harten Boden der Stube durchschlief. Nicht einmal das Schnarchkonzert störte mich.

***

August 1945, Bregenz, Vorarlberg, Österreich

Árpád Toldy, der noch im ungarischen Innenministerium als Beamter angehende Gendarmen in Verhörtechniken unterrichtete, ist sicher auch noch gut im Verwischen von Spuren.

Erst Monate später, im August 1945, tritt der „Der große Mann, mit dem ernsten Gesicht", wieder in Erscheinung. Er stellt sich bei einem hohen Offizier der französischen Besatzungsmacht in Bregenz als Oberstleutnant der ungarischen Armee vor, der von seiner Regierung beauftragt wurde, eine wichtige Mission zu erfüllen. Ein bedeutender Schatz, der aus mehreren Kisten mit Goldbarren und Goldmünzen sowie aus zwei Kisten mit Juwelen besteht, soll den Westmächten zum Schutz vor den Deutschen und vor der Roten Armee übergeben werden. Toldy ersucht die Franzosen für sich, seine Frau und seinen Sohn um Schutz vor den „deutschen und russischen Geheimdiensten", die ihm „auf der Spur" seien. Anschließend nennt er noch die Orte, an denen die Kisten vergraben sind.[64,65]

Als die Franzosen tatsächlich die Kisten finden und öffnen, wird ihnen klar, dass das Vermögen Raubgut ist. Sie nehmen Toldy in Gefangenschaft.

---

[64] Ronald W. Zweig: „The Gold Train", New York 2002, S. 124f.
[65] Sabine Stehrer: „Der Goldzug", Wien 2006, S. 36.

Im darauffolgenden März des Jahres 1946 taucht Toldy wieder als freier Mann in Tirol auf. Er steigt im Hotel „Weißes Lamm" in Innsbruck ab und lässt es sich gut gehen. Gerüchte geben dafür mehrere Erklärungen: Toldy sei von einem ranghohen französischen Offizier unterstützt worden, der eine seiner Stieftöchter geheiratet hatte. Oder er habe sich mit dem Vermögen, das er später doch noch in die Schweiz transferierte, freigekauft. Die angegebenen „zehn Millionen US-Dollar" bleiben aber genauso unauffindbar wie Toldy selbst nach seinem Aufenthalt im „Weißen Lamm".[66]

Sein Verschwinden wird durch ein anderes Gerücht begründet: Er habe sich über die französische Fremdenlegion eine neue Identität besorgt und sei nach Nordafrika ausgewandert.[67]

Über Toldys Motivation für sein Handeln kann nur spekuliert werden. Möglicherweise war schon ab Brennberg geplant, den Goldzug-Inhalt dem Kreis der hochrangigen Pfeilkreuzler, zu dem er selbst zählte und die schon in die „Alpenfestung", also nach Österreich, geflohen waren und weiter wollten, persönlich zukommen zu lassen und die Direktiven der Szalasi-Regierung zu missachten.

***

---

[66] Gabor Kádár, Zoltán Vági: „Holocaust Era Looted Assets Of Hungarian Jewry", Budapest 2000, S. 41
[67] Ronald W. Zweig: „The Gold Train", New York 2002.

Samstag, 13. April 1945, Mürzzuschlag, Reichsgau Steiermark

Gegen sieben Uhr früh klopfte Maries Mutter an die Türe meiner Kammer:

„Aufstehen, in einer Viertelstunde gibt's Frühstück, ich lege dir die Wäsche vor die Türe!"

Ich hatte herrlich geschlafen, gähnte mich wach, holte die frisch gewaschene Wäsche ins Zimmer und tauchte pünktlich nach 15 Minuten unten in der Wohnstube auf. Der Tisch war schon gedeckt, Marie spielte auf der Seite mit ihrer kleinen Schwester. Sie sah auf, als ich eintrat, und ihre Mutter, die am Herd stand, fragte mich:

„Guten Morgen! Wie hast du geschlafen?"

Ich sagte: „Danke, so gut wie seit Langem nicht mehr, so gut wie zu Hause!"

Sie lächelte: „Setz dich!" und stellte Brot, etwas Wurst und Käse auf den Tisch, dann eine dampfende Kanne mit Tee.

Während wir uns über das Frühstück hermachten, sagte sie:

„Marie hat keine Ruhe gegeben, sie will dich ein Stück begleiten. Ich hab' das für keine gute Idee gehalten, aber wenn sie sich was einbildet, dann hilft alles Reden nichts!"

Marie nickte und zog ihre Augenbrauen hoch, wodurch ihre Augen noch größer wirkten.

Die Mutter fuhr fort: „Aber ihr müsst mir versprechen,

dass ihr sehr vorsichtig sein werdet und euch in keine gefährliche Situation bringt. Wenn's nicht funktioniert und ihr umkehren müsst, dann könnt ihr ja auch in Steinhaus zur Tante Hilde gehen, trotzdem mache ich mir jetzt schon Sorgen!"

Ich versprach ihr: „Danke, wir werden sehr, sehr vorsichtig sein und wenn mir Marie dann oben im Revier ihres Vaters die Richtung gezeigt hat, in die ich wieder hinuntergehen muss, dann wird sie sofort umkehren."

Marie ergänzte: „Ja, genau und wenn ein Weiterkommen nicht möglich ist, kommen wir zurück, also brauchst du dir keine Sorgen machen, du weißt, wie gut ich mich da oben auskenne, da hat mich nicht einmal der Papa gefunden, als ich mich versteckt hab'!"

Die Mutter blieb skeptisch: „Ich würde ja nach Steinhaus kommen, wenn sie mich durchlassen, aber mit der Kleinen brauche ich von hier fast drei Stunden zur Tante Hilde und ich weiß nicht einmal, ob ihr dann dort seid, natürlich mache ich mir Sorgen, bitte passt auf euch auf!"

Marie winkte mich hinaus:

„Komm', hol' deine Sachen, schau'n wir, dass wir wegkommen!"

Sie wollte jetzt wahrscheinlich nicht mehr lange diskutieren und ich bedankte mich bei ihrer Mutter für die Übernachtung und das gute Frühstück. Sie lächelte und sagte zu mir: „Bitte, pass' auf die Marie auf, sie ist manchmal ein bisschen zu mutig!"

Ich versprach es ihr und dann verließen wir das Haus.

Dienstag, 3. April 1945, Lichtengraben, Lavanttal, Reichsgau Kärnten

Der Boden in der Stube war hart, da hatte auch die Decke nicht geholfen. Ich hatte durchgeschlafen, aber ich fühlte mich wie gerädert, als uns ein lauter Brüller „Aufwachen, ihr Säcke!" weckte. Es war noch früh, mir tat alles weh, ich spürte jeden Muskel. Wir mussten hinaus zum Waschen und durften austreten, zwei der SS-Männer bewachten uns. Dann fassten wir wieder die kleinen Jausenpakete aus und auf ging es in den Wald, wieder zum Hang, alles gleich wie am Vortag. Auch das Umsägen und Wegräumen der gefällten Bäume. Dieses Mal wurde ich zum Wegräumen der gefällten Bäume eingeteilt.

Bevor wir anfingen, hielt der Obersturmbannführer eine kurze Ansprache:

„Das, was wir hier gestern gemacht haben, war gut, aber viel zu langsam, das muss heute schneller gehen, viel schneller! Und je schneller wir sind, desto schneller ist dann alles vorbei!"

Das klang seltsam: „… alles vorbei?" Und er sagte: „… wir gestern hier gemacht haben …!" Nur wir sieben hatten gearbeitet und das ordentlich, die SS-Männer hatten nur zugesehen, waren dabei gestanden und hatten geraucht.

Das Wegräumen der Bäume war auch nicht ohne, fast schwerer als das andauernde Sägen.

Aber wir waren schneller als am Vortag. Schon gegen 10.30 Uhr waren alle Bäume hinauf bis zu dem Eingang geschlägert und die allermeisten Sträucher herausgerissen, nur einige wenige kleinere waren noch zu sehen.

Wir durften eine kurze Pause machen, alles genauso wie am Vortag, nur schon früher. Ich konnte sehen, dass sich der Obersturmbannführer mit dem Scharführer unterhielt. Nach einer Weile, in der wir alle erschöpft dasaßen, hieß es: „Aufstehen, alle aufstehen!" Und jetzt ging es zurück zum Bauernhaus. Dort wurde unter Aufsicht des Obersturmbannführers das Tor der Scheune geöffnet und der darin geparkte LKW ein Stück herausgefahren, so dass sein hinterer Teil herausragte.

Wir wurden wieder in Zwei-Mann-Gruppen eingeteilt und mit der gleichen Vorgangsweise, wie wir den Waggon am Bahnsteig entladen hatten, wurde von uns jetzt auch der erste LKW entladen. Der Obersturmbannführer befahl uns vorher: „Und diesmal ja nichts fallen lassen, sonst …!"

Jetzt waren mehr von den SS-Soldaten da und wir begannen den ersten LKW zu entladen. Auch der Inhalt der am Bahnsteig zu Bruch gegangenen Kiste wurde in eine vom Hang mitgebrachte, jetzt umfunktionierte Werkzeugkiste eingeordnet. Wieder von drei Gruppen mit je zwei Mann wurden die entladenen Kisten auf dem Weg in den Wald, Richtung Hang getragen. Bei jeder Gruppe war ein Soldat, der hinter uns ging.

Die Kisten waren so schwer, dass wir sie auf dem Weg zwei Mal kurz absetzen durften, trotzdem waren wir jedes Mal fertig, wenn wir beim Bächlein die Kisten abgelegt und dann, als es bereits mehrere waren, aufgestapelt hatten. Eine ganz kurze Rast und gleich ging es wieder zurück zum Hof und die nächsten drei Kisten wurden abgeladen und geholt. Als alle Kisten des ersten LKW bereits beim Hang waren, wurde der zweite Lastwagen umgestellt, so dass auch er zum größten Teil in der Scheune stand, und genauso entladen. Dann wurde auch sein Inhalt zum Hang getragen. Nur die kurzen Rastzeiten und das jeweils nicht anstrengende Gehen zurück zum Bauernhof waren die „Erholungszeiten".

Der Einzelne von uns, der nicht zum Tragen eingeteilt war, musste immer wieder den einen oder anderen aus den Zweiergruppen für ein Stück beim Tragen ablösen, aber das half nicht viel.

Dies ging fast den ganzen Nachmittag so, es war viel anstrengender als das Umsägen oder Wegräumen der Bäume. Wir trugen an diesem Nachmittag elf Mal Kisten vom Hof zum Hang, dann waren die LKW leer und alle Kisten unten am Hang aufgestapelt.

Es war nun schon nach drei Uhr Nachmittag und wir durften jetzt eine halbe Stunde Pause machen. Danach wurden wieder Gruppen zu je zwei Mann eingeteilt, ich kam gleich im ersten Trupp wieder mit Harald zusammen. Uns wurde befohlen, die Kisten über den nun von den Bäumen und Sträuchern befreiten Hang hinauf zum Eingang zu tragen. Das war zwar von der Entfernung her nicht weit, es waren nur ca. 40 bis 50 Meter, aber steil den Hang hinauf und daher, wie wir gleich merkten, eine sehr, sehr mühsame Schlepperei. Vor uns ging der Scharführer und wir mit der ersten Kiste dahinter. Oben wartete der Obersturmbannführer am Eingang und befahl uns, die

Kiste im hinteren Teil des engen Stollens, nicht ganz an der Wand, abzustellen. Das war auch schwierig und anstrengend, weil der Stollen zwar gerade aber niedrig war und wir die Kiste gebückt nach hinten schleppen mussten. Danach gingen wir hinaus und direkt wieder hinunter, während schon der zweite Trupp die nächste Kiste in den Stollen schleppte. Er war angewiesen worden, genau den gleichen Weg hinauf wie Harald und ich zu benützen. Wir beide kamen unten an und schon durften wir sofort die nächste Kiste hinauf in den Stollen schleppen und dort an die schon abgestellten Kisten reihen. Dadurch, dass alle den exakt gleichen Weg hinauf gingen, war nach kurzer Zeit ein kleiner, ganz gut ausgetretener Pfad hinauf entstanden. Es ging weiter, bis wir alle Kisten von unten hinaufgebracht, im Stollen an der Stollenwand abgestellt und sie nach ungefähr der Hälfte der Kisten aufeinander gelagert hatten.

Es dauerte eine Zeit lang, bis alle Kisten oben im Stollen verstaut waren. Als es schon dämmerte, ging es zurück zum Bauernhof. Vor dem Rückmarsch konnte ich hören, dass der Obersturmbannführer zum Scharführer sagte: „Den Rest machen wir morgen!" Ich konnte sehen, dass der Scharführer mit zwei Soldaten vor dem Eingang am Hang und unten zwei weitere zurückblieben.

Am Hof angekommen verlief fast alles wieder so wie an den vorigen Abenden, aber wir waren so müde, dass wir die abendliche Waschroutine abkürzten, das kleine, von der Bäuerin angerichtete Abendessen zu uns nahmen und dann fast auf der Stelle in der Stube umfielen und einschliefen.

***

April 1945, Schnann, Tirol, Österreich

In Schnann bei St. Anton am Arlberg in Tirol geht der Krieg im April 1945 zu Ende. Es herrscht das Chaos. Während zurückweichende SS-Einheiten durch das Dorf ziehen, bitten Flüchtlinge aus dem Osten um Arbeit, Brot und Unterkunft.

Karl Schmid aus Schnann, von Beruf Wegmacher[68], entdeckt an der Straße, die nach Flirsch führt, im Waldstück bei der Kapelle frisch ausgehobene Erde. Er schaufelt dort den Boden auf und findet eine Kiste. Weil er sie nicht heben kann, holt er seinen Bruder Bruno, der ihm hilft, die Kiste herauszuholen. Sie finden in ihr Gold, goldene Ketten, Ringe und Uhren. Ein funkelnder Schatz. Die beiden graben weiter und finden die nächste Kiste, vollgefüllt mit Zigaretten-Etuis aus massivem Silber, Broschen, Edelsteine. Sie beschließen, die Schätze in einem nahe gelegenen Heustadl zu verstecken und dann den Schwiegervater von Bruno, Albert Schwenninger, um Rat zu fragen, was sie weiter tun sollen. Schwenninger ist das Oberhaupt einer großen Bauernfamilie. Er rät den Brüdern Schmid, zunächst zu warten und später, nach dem Kriegsende, den Schatz bei den offiziellen österreichischen Stellen abzugeben, weil dann sicherlich ein größerer Finderlohn zu erwarten ist. Nur sollte er bis dahin besser versteckt werden

---

[68] Norbert Prettenthaler, Kurzdokumentation „Das goldene Dorf".

und dabei sollen seine Söhne helfen. Die fünf vergraben die Kisten in der Schnanner Klamm. Aber vorher nimmt sich der eine einen hübschen Ring, den er seiner Frau schenken will, der andere eine Kette, der dritte ein Zigarettenetui.[69]

Einige Monate später wird bekannt, dass der Eisenbahner August Jenny, ein anderer Schwiegersohn von Albert Schwenninger, mit einem Taxi in das 25 Kilometer weit entfernte Landeck gefahren ist, wo er sich „zwölf Anzüge auf einmal" bestellt hat.

Und beim Einkaufen wird die Altbäuerin Schwenninger in der Krämerei[70] „mit einer neuen, schönen Kette um den Hals und mit einem großen Ring am Finger" gesehen. Als die Bäuerin „ein ganzes Kilo Butter" verlangt, fragt die Kramerin nach: „Kannst du dir das denn leisten?" Die Bäuerin lacht: „Ah geh, das ganze Dörfli könnt i kaufen! Arbeiten kommt für uns nimmer in Frage."

Ein paar Tage später fährt der Altbauer mit seinem Auto und einem neuen Traktor auf dem Anhänger ins Dorf und an einem Samstag-Tanzabend im Dorfwirtshaus sehen alle, dass dem Schwenninger ein Bündel Tausender aus der Hosentasche schaut. Das ist zu viel. Nun wird die Bauernfamilie angezeigt.[71]

Bei einer Hausdurchsuchung im Juni 1946 durch die französische Gendarmerie werden zuerst zwei goldene Zigarettendosen mit Edelsteinen gefunden, bei der einen wurde die Gravierung durch Kratzen unkenntlich ge-

---

[69] Interviews v. Sabine Stehrer, der Autorin v. „Der Goldzug" mit Alfons Lorenz und Oswald Perktold, 2000.
[70] Krämerei = veralteter Ausdruck für „kleiner Laden", Kleinhändler.
[71] Tiroler Tageszeitung, 7. Juli und 24. September 1946.

macht. Bei weiterem Suchen werden noch 300 Gramm Schmuck und wertvolle Steine gefunden und es wird klar, dass es sich dabei um Gegenstände aus einem ungarischen Goldschatz handeln muss. Die Brüder Alfred, Alois, Erwin, Franz und Richard Schwenninger und der Eisenbahner August Jenny werden verhaftet.[72]

Die Befragten geben zu, den Schmuck und die Wertsachen aus zwei Kisten gestohlen zu haben, die sie im Jahr 1945 gefunden haben und dann in 2600 Metern Höhe im Gebirge unter Felsen versteckt haben.

Jenny, weil ungeduldig, hat sich zusammen mit dem Jäger Karl Mayrhofer und dem Bahnmeister Hugo Höfle aus den versteckten Kisten zirka 60 Kilogramm Schmucksachen aller Art geholt. Dies haben sie untereinander aufgeteilt.[73]

An Ort und Stelle finden die Franzosen die Kisten, es gelingt 200 Kilogramm Edelmetall, Schmuck und Edelsteine sicherzustellen.

Es werden in den Kisten Tausende von goldenen Eheringen mit israelitischen Namenszügen, die zum Teil braune Flecken aufweisen, aufgefunden, was die Annahme zulässt, dass die Ringe mit den Fingern abgetrennt wurden. Gefundene Goldzähne weisen Zangenspuren auf, auch natürliche Zähne sind darunter, wodurch bewiesen ist, dass sie mit roher Gewalt entfernt wurden.

Auch goldene Halsketten, Uhrketten, Medaillons und Familienschmuck, die alle eingravierte jüdische Namen aufweisen, oft mit Fotografien versehen, ent-

---

[72] Sabine Stehrer: „Der Goldzug", Wien 2006, S. 39f.
[73] Sabine Stehrer: „Der Goldzug", Wien 2006, S. 43.

halten die Kisten. An Hunderten Ringen sind noch die Preisetiketten vorhanden, sie stammen aus geplünderten Geschäften. Unter den vielen Zigarettenetuis befinden sich einige, die bis zu 200 Gramm wiegen. Diamanten, Rubine, Smaragde und Brillanten mit verschiedenem Schliff und Wert werden aufgefunden.

Es ist eindeutig, dass die Schmuck- und Wertgegenstände aus Plünderungen und die Goldzähne und die Eheringe aus deutschen Konzentrationslagern stammen.

Durch die Erfolge ermutigt, setzen die Franzosen die Ermittlungen fort. Das bleibt den Schnannern nicht verborgen.

Ungarn, die sich als Knechte bei den Bauern im Tal verdingen, werden zum Verhör nach Landeck gebracht. „Viktor", einer von ihnen, gesteht, er zeichne Pläne von Verstecken, in denen weitere Kisten gefunden werden.[74]

Die findige Gendarmerie beschlagnahmt bei allen Angeklagten das meiste Gold und das dafür erhaltene Geld.

Am 24. September 1946 heißt es in der „Tiroler Tageszeitung": „Hehler und Stehler vor dem französischen Gerichte".

Die Gerichtsverhandlung jedoch verlief anders als geplant. Der Staatsanwalt Hauptmann Trotry beantragte, die Angeklagten Karl und Bruno Schmid, Vater und Söhne Schwenninger sowie die Angeklagten Jenny, Mayerhofer und Höfler wegen Diebstahls und Hehlerei, alle anderen

---

[74] Tiroler Tageszeitung, 7. Juli und 24. September 1946.

wegen Hehlerei bzw. Schwarzhandels und Verkaufs zu Wucherpreisen schuldig zu sprechen. Es sei aber besonders darauf Bedacht zu nehmen, dass der ganze Goldschatz von Menschen stammt, die in Konzentrationslagern ermordet und nicht nur ihres Schmucks, sondern sogar der Goldzähne beraubt wurden.

Die Rechtsanwälte jedoch vertraten den Standpunkt, dass es sich um herrenloses Gut handle und der gesamte Goldschatz lediglich als Fund angesehen werden kann, auch die SS könne nicht als Besitzerin angesehen werden, da die wirklichen Besitzer schon lange nicht mehr leben dürften, zumindest unauffindbar seien.[75]

Am vierten Verhandlungstag beschloss jedoch der Gerichtshof, die Verhandlung auf unbestimmte Zeit zu vertagen, um die Herkunft, die Beschaffenheit und den Gesamtwert des Goldschatzes festzustellen, sowie zur Untersuchung der Blutspuren an den Ringen und Plomben der Zähne und zur Einholung von weiteren Gutachten nach weiteren Erhebungen.[76]

Das Gericht beschloss die Enthaftung von Karl und Bruno Schmid, Kaution je ö.S. 1.000, die Enthaftung von Franz Schwenninger, jedoch erst am 1. Oktober, Kaution ö.S. 1.000, und eines anderen Beteiligten, Kaution ö.S. 1.000.

Die Franzosen lassen das sichergestellte Gut vorerst einmal ruhen. Im Oktober 1946 sind sie der Meinung, das Vermögen gehöre „ohne Zweifel ungarischen Juden". Dennoch schicken sie die Sachen nach Paris. Es gibt noch

---
[75] Sabine Stehrer: „Der Goldzug", Wien 2006, S. 44.
[76] Sabine Stehrer: „Der Goldzug", Wien 2006, S. 44.

keine gesetzlichen Regelungen über die Retournierung von Beschlagnahmungen.

Im September 1947 stellt der französische Außenminister fest, dass das Vermögen „möglicherweise französischen Juden gehört, die nach Ungarn deportiert wurden".

Nach jahrelangen Verhandlungen mit Ungarn über die Rückführung des Vermögens, in denen die Franzosen 3000 Güterwaggons, die im Zweiten Weltkrieg nach Ungarn gerieten, zurück verlangen und auch erhalten, gehen im April und Mai 1948 schließlich 13.629 Kilogramm des Schatzes an Ungarn zurück.[77]

In Tirol kündigt der Schaffner der Arlbergbahn noch lange Zeit die Station „Schnann" immer wieder mit dem Ruf „Schnann, die goldene Stadt!" an.[78]

***

---

[77] Sabine Stehrer: „Der Goldzug", Wien 2006, ebenda.
[78] Sabine Stehrer: „Der Goldzug", Wien 2006, ebenda.

Samstag, 13. April 1945, Mürzzuschlag, Reichsgau Steiermark

Wir gingen gegen acht Uhr los, in Richtung Spital am Semmering.

Marie sagte: „Ich bin noch nie von hier dort hinauf ins Revier gegangen, wir sollten uns beeilen, ich weiß nicht genau, wie lange wir zu Fuß brauchen werden und wir werden wahrscheinlich niemanden finden, der uns mitnimmt, und das Militär wird uns sicher aufhalten, wenn sie uns erwischen."

Sie hatte recht und wir gingen am Rand der Straße Richtung Spittal am Semmering. Zeitweise hörten wir, weit entfernt, Geschützdonner.

Es war wenig Verkehr auf der Straße, die leicht bergauf ging. Es kamen uns nur ganz wenige Fahrzeuge entgegen, aber in die Richtung, in die wir gingen, rollten schon mehrere Militärfahrzeuge an uns vorbei. Wir versteckten uns immer, wenn wir Motorenlärm hörten, hinter den Bäumen am Straßenrand und es gelang uns, ungesehen nach knapp zwei Stunden vor dem Ortseingang von Spital am Semmering anzukommen. Dort sahen wir, gerade noch rechtzeitig, eine in unsere Richtung marschierende Einheit von Soldaten auf uns zukommen. Wir verdrückten uns noch einige Meter weiter weg von der Straße auf der nördlichen Seite, darauf hoffend, dass uns keiner gesehen hatte. Es war eine SS-Einheit und wir konnten, am Boden hinter Büschen liegend, die einzelnen Soldaten genau sehen und hatten Glück, denn niemand bemerkte uns.

Der Boden war nass, kalt und unangenehm, meine Hose und auch Maries Jacke waren jetzt dreckig. „Macht nix", sagte Marie, „wir werden jetzt am besten nicht mehr auf der Straße weitergehen, sondern einfach über die Wiesen durch den Wald. Das wird zwar schwieriger, aber so wird uns wahrscheinlich keiner sehen und wenn wir dann, nach Steinhaus, im Revier von meinem Vater angekommen sind, dann wird's sicher leichter, ich weiß schon, wie wir dort weiterkommen!"

Ich verließ mich ganz auf sie und nach einer weiteren Stunde, in der wir uns mit dreckigen, schweren Füßen langsam und vorsichtig durch den Wald Richtung Semmering bewegten, blieb Marie stehen und deutete vom Hang, an dessen Rand wir gerade standen, hinunter und sagte: „Da unten ist Steinhaus, da wohnt meine Tante!" Ich konnte nichts erkennen außer Wald, aber ich war sicher, dass sie genau wusste, wo wir waren. „Jetzt ist es nicht mehr weit ins Revier", sagte sie und es klang so, als ob wir dort völlig sicher sein würden.

Das „nicht mehr weit" war immerhin noch über eine halbe Stunde, aber dann blieb Marie stehen und sagte: „Siehst du? Hier fängt das Jagdrevier von meinem Vater an!" Ich konnte gar nichts Besonderes sehen, es war alles nur dichter, ins Tal abfallender Wald und ich konnte keine Grenze erkennen, aber sie hatte sicher recht.

„Wir werden jetzt noch weiter hinaufgehen, es ist zwar anstrengender, aber besser, da nach oben kommt keiner, das ist auch zu steil hinunter." Und das war es, wir kletterten mehr als dass wir gingen, immer höher, eine ganze Weile die Waldhänge weiter hinauf, es gab nur selten gerade Stellen. Wir überquerten dabei einige kleine Forstwege, dann ging es wieder eine Zeit lang hinunter und Marie sagte: „Das ist die Gegend um Thalhof, wir müssen jetzt in Richtung des Oberen Adlitzgrabens!"

Wir gingen gerade eine kleine bergauf führende Forststraße entlang, als Marie plötzlich stehenblieb, den Zeigefinger an ihren Mund legte und „Pssst" machte. Ich war auch stehengeblieben, aber ich konnte nichts hören und wollte schon weitergehen, da zog sie mich von der Forststraße seitlich weg und sagte: „Leise!"

Wir kletterten einen Hang hinauf und dann hinter einigen Büschen zeigte Marie mit der flachen Hand gegen den Boden und sagte: „Niederlegen". Ich folgte, obwohl ich nicht wusste, warum sie sich so verhielt. Einige Sekunden später hörte ich die Schritte von mehreren Menschen auf der Forststraße. Ich hob den Kopf und sah drei Soldaten die Forststraße in unsere Richtung kommen. Es waren russische Solden, Rotarmisten, sie hatten Mützen mit einem roten Stern am Kopf, hielten ihre Maschinenpistolen in den Armen und blickten aufmerksam auf die Seiten des Forstwegs. Der eine ging ganz links, der zweite in der Mitte und der dritte auf der rechten Seite der Sandstraße.

Ich wollte eigentlich aufstehen und davonlaufen, doch dafür war es schon viel zu spät. Marie deutete mir: Liegen bleiben! Hier oben hatte es wahrscheinlich nicht oder nur wenig geregnet, der Boden war trocken. Ich nahm den Kopf wieder herunter, wollte mich wieder flach auf den Boden pressen und dabei kam ich mit der Fußspitze an einen trockenen Ast, es knackte laut. Durch die untersten

Blätter des Strauches konnte ich sehen, dass der Soldat, der uns am nächsten war, das Geräusch gehört hatte. Er blieb stehen und brachte seine Maschinenpistole in Anschlag. Aber er sah ein wenig zu weit zurück, wir lagen seitlich des Wegs vor ihm versteckt.

Marie hatte den Rotarmisten natürlich auch bemerkt und ich konnte jetzt sehen, dass sie mit der Hand nach einem Stein tastete. Noch bevor ich verstand, was sie vorhatte, setzte sie sich auf und warf den Stein in Richtung weiter vor uns in den Wald, weiter weg von den Soldaten. Sie hatte Glück, denn wenn der Stein gegen einen Baum in unserer Nähe geprallt wäre, dann hätten uns die Soldaten wahrscheinlich entdeckt. Doch es war ein guter Wurf, ungefähr 60 Meter weiter vorne krachte der Stein auf den Boden und kollerte raschelnd weiter. Die Soldaten, jetzt alle drei alarmiert, gingen in die Knie und dann langsam vorsichtig weiter vorwärts, an unserem Versteck hinter den Büschen vorbei. Vorne stieg der erste Soldat dann mit der MP im Anschlag die Böschung hinauf und sah in den Wald. Er sah nichts, es war ja auch niemand dort. Die anderen riefen ihn und sie unterhielten sich kurz, aber ich konnte nichts verstehen. Dann gingen sie in der gleichen Formation wie vorher die Forststraße weiter, weg von uns.

Das war knapp gewesen, haarscharf und beinahe hätten die uns erwischt und wahrscheinlich auch gleich geschossen und erst dann nachgesehen!

Ich fragte Marie: „Wieso hast du gewusst, dass die kommen?"

Sie sagte: „Ich weiß nicht, das war auch nur so ein Gefühl, aber jetzt wissen wir, dass hier irgendwo die Front ist, und wir müssen ab jetzt noch vorsichtiger sein! Das Gute ist nur, dass es von hier nicht mehr sehr weit nach Gloggnitz ist!"

Sie war ein tolles Mädchen, ich hatte noch nie vorher so ein Mädchen kennengelernt. Sie war nicht nur clever, sie war auch gescheit. Ich war beeindruckt und sie gefiel mir immer mehr.

Ich wusste aber jetzt schon, was für sie „nicht mehr sehr weit" bedeutete und stellte mich auf einige weitere Stunden ein, in denen wir noch sehr, sehr vorsichtig sein mussten.

***

Mittwoch, 4. April 1945, Lichtengraben, Lavanttal, Reichsgau Kärnten

Das Wecken war das gleiche wie an den Vortagen, laut und unmissverständlich. Auch das Wasch- und Austrittsritual war gleich. Wir erhielten die obligaten Jausenpakete und danach ging es ab in den Wald. Der gleiche Trott, an den wir uns schon gewöhnt hatten.

Am Hang wurden wir wieder eingeteilt, einige zum Fällen der letzten Bäume über dem Eingang, zwei zum Entfernen der ganz wenigen verbliebenen Büsche und dann zum Wegräumen der gefällten Bäume, das war aber jetzt ein wenig leichter, da sie nach dem Fällen fast ganz über den gelichteten Hang hinunterrollen konnten.

Harald und ich wurden zu den Werkzeugkästen beordert. Ein Soldat, der den Rang eines Unterscharführers trug, befahl uns, zwei von den Werkzeugkisten den Hang hinaufzubringen. Die waren ganz schön schwer und wir keuchten zweimal den Hang hinauf. Der Unterscharführer und zwei Soldaten gingen mit uns, danach musste Hans noch eine lange Holzleiter, die aus dem Bauernhof mitgenommen worden war, hinauftragen.

Der Unterscharführer wies die Stelle an, an der die Leiter aufzustellen war, und kletterte hinauf, um oben am Felsüberhang mit Kreide ein Kreuz als Markierung zu machen, und das in Abständen von ca. 2-3 Metern auf dem Felsüberhang in fast gleicher Höhe quer über den Hang.

Dann stiegen zwei der Soldaten noch weiter hinauf und tauchten oben, fast am Rand des Feldüberhanges, wieder auf. Sie schlugen dort Stöcke in den Boden, offenbar wiederum Markierungen.

Jetzt begann für uns die Arbeit. Die Kisten wurden geöffnet und der Unterscharführer zeigte uns, wie die darin befindliche, händisch zu bedienende Bohrmaschine funktionierte. Wie sie zu halten und mit wie viel Druck zu bohren war und wie tief die Löcher sein mussten. Er holte dazu aus der anderen Kiste eine Sprengpatrone, zeigte uns die genaue Länge und wies uns an, noch einige Zentimeter tiefer zu bohren als sie lang war: „Wenn sie hineingesteckt wird, darf sie nicht mehr zu sehen sein!" Jetzt war es für uns ganz klar: Der Felsüberhang sollte herunter gesprengt werden und den Eingang verlegen.

Das Hinaufklettern ging ja noch, doch auf einer Leiter zu stehen und einen Felsen anzubohren, das hatten wir noch nie gemacht. Es war Schwerstarbeit und das Bohren des ersten Lochs dauerte lange. Zu lange, denn der Obersturmbannführer kam dazu und sagte wieder einmal: „Das dauert viel zu lange, das muss schneller gehen!" Und damit es schneller ging, wurden wir ausgetauscht, wir beide mussten hinunter und beim Wegräumen der letzten Bäume helfen, während die von unten hinauf zum Bohren geschickt wurden.

Das nächste Loch danach machten wiederum zwei andere, wir kamen danach wieder dran, unten war ohnedies jetzt schon fast alles weggeräumt.

Gegen 13 Uhr waren alle vorgesehenen Löcher vorne am Felsüberhang gebohrt und der Unterscharführer -

man konnte sehen, dass er sich mit dieser Arbeit sehr gut auskannte - bohrte jetzt mit zwei von uns oben auf dem Felsüberhang an den markierten Stellen senkrechte Löcher, die etwas tiefer waren als die vorne am Felsüberhang. In diese wurden dann gleich Patronen gegeben.

Auch der Zünddraht wurde an den Patronen vorher befestigt und diese dadurch miteinander in Reihe verbunden. Dann wurden die Bohrlöcher vorne am Felsüberhang mit den Sprengpatronen, an denen auch schon die Zündkabel befestigt waren, versehen. Die beiden Soldaten warfen dem Unterscharführer, immer wenn er auf der Leiter vor einem der leeren Löcher stand, die Sprengpatrone hinauf und er steckte in jedes Bohrloch eine Patrone. Als alle Bohrlöcher verkabelt waren, kletterte er die Leiter hinunter: „Fertig, Herr Obersturmbannführer!"

Wir trugen die Kisten mit dem Gerät wieder hinunter, mussten antreten und für uns sieben ging es zurück zum Bauernhof, beladen mit jeweils einer der Werkzeugkisten. Vor uns zwei und hinter uns zwei Soldaten, der Scharführer und der Obersturmbannführer.

***

Donnerstag, 19. Juli 1945, Salzburg-Maxglan, Österreich

Während Bomber des alliierten "Far East Air Forces Command" vier japanische Luftwaffenstützpunkte in der Nähe von Schanghai angreifen, sitzt PCO (Property Control Officer) Homer K. Heller in seinem Büro in einer der sechs Werkshallen der Struberkaserne in Salzburg im Stadtteil Maxglan. In den sechs Hallen, die größte ist 180 Meter lang und 45 Meter breit, türmt sich das von den Amerikanern sichergestellte Gut.

Heute macht er eine Aktennotiz über die Ankunft des „Hungarian Werfen Train" und die Anforderung von Männern für das Aus- und Umladen mit dem Vermerk „urgent" (dringend).

Trotzdem vergehen Tage, bis die Männer eintreffen. Als sie mit der Arbeit anfangen und auf die offenen Kisten stoßen, aus denen Avar und Co. Uhren und Schmuck entnommen haben, um Eisenbahner zu bestechen, Tauschgeschäfte zu tätigen und Soldaten davon abzuhalten, den Zug zu überfallen, machen sie sich einen Spaß daraus, die Uhren zu probieren. Sie albern herum. Heller mahnt die Truppe ab, was nicht viel hilft. Wochen vergehen, bis die Ladung des Goldzugs endlich in einer der Hallen untergebracht ist.

Noch während des Aus- und Umladens löst die „Regenbogen-Division" mit Generalmajor Harry J. Collins an der Spitze die bisherigen Truppen ab. General Mark W. Clark wird zum Oberkommandierenden der US-Besatzungstruppen in Österreich ernannt.

Die Kunde von den jüdisch-ungarischen Schätzen aus dem Goldzug erreicht schnell die Ohren der US-Offiziere. Es ist der ranghöchste unter ihnen, der damit den Anfang macht, was die Amerikaner „Requirierung" nennen.

Collins, später Ehrenbürger Salzburgs, befiehlt Officer Heller, ein paar schöne Teppiche, Gemälde und was sich sonst noch an Brauchbarem findet, aus dem Warehouse zur Adresse Brunnhausgasse 26-28 bringen zu lassen. Hier am Fuße des Festungsbergs hat sich der General in mehreren Gebäuden niedergelassen, die auch schon von der NS-Gauleitung als Dienstgebäude genutzt worden waren.

Für sein Privat-Quartier in der Villa Warsberg[79] ordert Collins „mit oberster Priorität" am 28. August 1945 eine lange Liste mit Einrichtungsgegenständen (darunter Porzellan für 45 Personen, Silberbesteck usw. usw.).

In die Niederlassung im Maria-Theresien-Schlössl lässt Collins weitere zwölf Orientteppiche bringen. Auch sein Sonderwaggon für seine Dienstfahrten wird mit einem Teppich aus dem Goldzug ausgestattet.[80]

Viele andere Offiziere machen es genauso wie General Collins. Sie bedienen sich weiter an der Goldzug-Ladung. Im November 1945 bekommt Heller Post vom Chef des Army Exchange Service.

Major M. N. Rosenberg meldet Bedarf an einem Teil

---

[79] Die Villa Warsberg und die nebenstehenden Gebäude in der Brunnhausgasse 26-28 wurden nach der amerikanischen Besatzungszeit abgerissen.
[80] Sabine Stehrer: „Der Goldzug", Wien 2006, S. 49.

der Wertgegenstände an: Uhren und Juwelen, die er in Army Shops verkaufen will.[81]

Das geht Heller zu weit, er ist regelrecht empört und schreibt einen Brief, in welchem er das Ansuchen als „anrüchig" bezeichnet. Anfang 1946 wagt sich der Property Control Officer noch etwas weiter vor. Er schreibt an die Offiziere und Generäle und ersucht um genaue Angaben über die Verwendung des beschlagnahmten Guts aus dem Hungarian Werfen Train. Das Resultat: Ende Februar 1948 wird Heller aus Salzburg abgezogen.[82]

***

---

[81] Sabine Stehrer: „Der Goldzug", Wien 2006, S. 52.
[82] Sabine Stehrer: „Der Goldzug", Wien 2006, S. 53.

Samstag, 13. April 1945, Semmering-Gebiet, Niederösterreich, Österreich

Nach einer weiteren Stunde erreichten Marie und ich eine Lichtung. Marie blieb stehen und zeigte ins Tal hinunter, in dem man ein Städtchen sehen konnte, die Häuser und die Kirche klein wie Spielzeug.

„Wir sind jetzt am Kreuzberg und das ist Gloggnitz", sagte Marie, „aber du darfst dort nicht durch, am besten ist es, wenn du es außen, etwas nördlich umgehst!" Sie zeigte mir die Richtung mit dem Arm an. „Und dann hast du es nicht mehr wirklich weit, zu dir nach Hause. Ich muss aber jetzt zurück, ich werde es ohnehin heute nicht mehr bis nach Mürzzuschlag schaffen, also werde ich zu meiner Tante in Steinhaus gehen. Pass' auf dich auf und melde dich vielleicht einmal!"

Ich dankte ihr für ihre Mühe und war plötzlich verlegen, ich wollte sie nicht verlassen und außerdem machte ich mir Sorgen, ein Mädchen allein auf diesem Weg zurück, das war gefährlich. Wie wenn sie meine Gedanken lesen konnte, sagte sie plötzlich, mich mit ihren großen, schönen Augen ansehend: „Mach' dir keine Sorgen, ich komme schon gut zurück! Also pass' auf dich auf!" Und sie wiederholte noch einmal: „Und melde dich bei mir!" Dann beugte sie sich plötzlich vor, legte ihre Arme um meinen Hals und gab mir einen Kuss.

Ich spürte ihre weichen Lippen, war wie gelähmt und anstatt sie zu halten und den Kuss zu erwidern, konnte ich mich nicht bewegen, bekam kein Wort heraus, und bevor ich wieder zu mir kam, war sie schon ein Stück weg. Sie drehte sich noch kurz um und schickte mir ein Küsschen, dann war sie zwischen den Bäumen verschwunden. Völlig verdreht schlug mir mein Herz bis zum Hals, ich musste mich zusammenreißen, konnte erst nach einiger Zeit wieder klar denken und musste nun alleine weitergehen, genau in die Richtung, die mir Marie gezeigt hatte. Die ganze Zeit, während ich die Strecke, vorbei an Gloggnitz, zurücklegte, dachte ich immerzu an sie. Sie fehlte mir jetzt schon und ich beschloss, sie so bald als möglich wiederzusehen. Unbedingt.

***

Mittwoch, 4. April 1945, Lichtengraben, Lavanttal, Reichsgau Kärnten

Zurück vor dem Bauernhof durften wir rasten, die Fresspakete leer machen und etwas trinken. Ich ersuchte einen der Soldaten, austreten zu dürfen. Er nickte und machte eine Handbewegung, ich verschwand hinter dem Haus. Ich erledigte mein dringendes Bedürfnis und gerade als ich wieder zurück vor das Haus wollte, hörte ich die Stimme des Obersturmbannführers, der mit dem Scharführer sprach. Ich konnte die beiden nicht sehen, sie standen knapp an der Ecke des Hauses, um die ich gerade zurück wollte. Aber ich konnte genau verstehen, was der Obersturmbannführer sagte: „... sind jetzt mit den Vorbereitungen fertig, zwei Mann sollen jetzt das MG aufbauen, dann gehen wir zurück, die sieben sollen antreten, wir legen sie um und dann sprengen wir und fertig und aus! Und passt auf, dass keiner von denen im letzten Moment noch abhaut!" Der Scharführer sagte: „Jawohl!"

Ich kauerte mich hinter den Holzstapel, der auf dieser Seite an der Wand bis zur Ecke aufgeschichtet war und dachte, wenn einer von den beiden jetzt um die Ecke kommt, dann ist es aus für mich. Eiskalte Angst überfiel mich und schnürte mir die Kehle zu, ich blieb hocken und wartete darauf, entdeckt zu werden. Aber nichts geschah, niemand kam um die Ecke. Dann, nach ungefähr einer halben Minute, richtete ich mich auf, rannte in Richtung der Hinterseite des Bauernhauses und sah dann dort einige Meter vor mir einen Forstweg beginnen. Das schien mir meine Rettung zu sein.

Ich rannte, so rasch ich konnte, den Forstweg hinter dem Bauernhaus hinauf …

***

Montag, 15. April 1945, Hornstein, Niederösterreich, Österreich

Ich stand am Ortseingang meines Heimatsorts. Jetzt war ich da. Endlich. Ich hatte gestern Gloggnitz umgangen, wie es mir Marie geraten hatte, war an diesem Tag noch weiter bis südlich von Neunkirchen gekommen, dann war es dunkel geworden und ich musste müde, durstig und hungrig in einem Heustadl, irgendwo bei Breitenau, am Steinfeld übernachten.

Zeitig am Morgen hatte ich mich aufgerappelt und war wieder losgegangen, mit der Selbstberuhigung, dass es nun wirklich nicht mehr weit sein konnte. Ich versuchte, mich möglichst unsichtbar zu machen, was nicht einfach war, denn nicht überall waren hier neben den Straßen Bäume oder Sträucher. Oft reichten die Felder direkt bis an die Straße, aber irgendwie gelang es mir immer wieder, mich zu verstecken, wenn mir jemand entgegenkam. Und obwohl es noch früh war, waren schon viele Leute unterwegs. Vor Lanzenkirchen bemerkte ich noch gerade rechtzeitig eine große Gruppe von Männern, es waren Kriegsgefangene, die von russischen Soldaten bewacht, in Zweierreihen Richtung Wiener Neustadt marschierten. Ich versteckte mich im gegenüberliegenden Straßengraben. Hätten mich die Wachsoldaten bemerkt, dann wäre ich sicher mit marschiert. Nur wenige Hundert Meter weiter, direkt auf der Straße, gleich bei den ersten Häusern von

Klein Wolkersdorf, hatten die Russen eine Straßensperre aufgebaut. Ich sah sie aus meiner Grube am Straßenrand, in der ich mich gerade vor einem vorbeifahrenden LKW versteckt hatte. Hier konnte ich nicht weiter und jetzt einfach über die Felder zu laufen, um die Kontrolle zu umgehen, das war zu gefährlich. Also ging ich wieder ein gutes Stück zurück und fand einen Feldweg, der von der Straße neben einem schmalen Windgürtel wegführte. Es war ein großer Umweg, aber ich musste sehr vorsichtig sein, ich wollte nicht jetzt, kurz vor dem Ziel, kurz vor zu Hause, gefangen genommen werden. Ich kam nur sehr langsam weiter und brauchte viel Zeit, um die Sperre und auch die Ortschaft zu umgehen und wieder zurück auf die Straße nach Katzelsdorf, das nicht weit von Wiener Neustadt entfernt lag, zu finden.

Ein Problem war, die Leitha zu überqueren. In Katzelsdorf gab es zwar eine Brücke, das wusste ich, weil ich mit meinem Vater einmal zu einem Bauern hierher gefahren war. Aber die konnte ich nicht benützen, sie wurde sicher von den Russen bewacht und kontrolliert, wenn sie noch intakt und nicht bei Fliegerangriffen zerstört worden war. Also musste ich eine andere Möglichkeit finden, um das Wasser zu überqueren. Es gelang mir dann auch an einer Stelle, an der auf beiden Ufern Bäume standen. Mit dem Ergebnis, dass meine Stiefel, meine Hose, die Socken und Unterwäsche bis zum Bauch nass waren. Ich war durstig und konnte jetzt auch ein wenig Wasser trinken, aber dann musste ich mich am Ufer hinsetzen, die Stiefel ausleeren, die Hose und Socken ausziehen und auswringen. In dem sich noch immer sehr unangenehm anfühlenden, nassen Zeug und den bei jedem Schritt quatschenden

Stiefeln ging ich dann weiter, ich wollte jetzt endlich bald zu Hause sein.

Quer über die Felder kam ich bis vor Bad Sauerbrunn, das war jetzt nicht mehr weit weg gewesen, und davor bog ich dann, wieder auf Feldwegen, Richtung Pötsching ab. Jetzt kannte ich mich in der Gegend schon sehr gut aus, sodass ich genau wusste, wie es weiterging, um am möglichst kürzesten Weg nach Hornstein zu kommen.

Ein Stück vor Pöttsching kamen mir auf der Straße mit lautem Getöse fünf russische T-34-Panzer entgegen. Dort gab es aber Bäume und Sträucher am Straßenrand und ich konnte mich gut verstecken. Sie fuhren rasselnd in Kolonne Richtung Wiener Neustadt an mir vorbei und ließen blauen, stinkenden Rauch zurück. Irgendwo danach bog ich dann von der Straße auf einen Feldweg ab, weil dort Bäume waren, und mühevoll gelangte ich, sehr langsam und immer wieder auf andere Feldwege wechselnd, weiter bis vor Steinbrunn, in das ich mich aber auch nicht hineinwagte und es umging.

Es war jetzt schon später Nachmittag, aber ich war schon im Nachbarort. Von hier musste ich wieder über Felder und Wege nach Hornstein, denn die Straße führte entweder über Neufeld oder über Müllendorf und das war mir alles zu weit und zu gefährlich. Es wurde dämmrig und ich kam jetzt auf den Wegen etwas schneller voran, weil ich mich auskannte und jetzt auch ganz genau wusste, wie es am schnellsten weiterging.

Es war jetzt sechzehn Tage her, dass ich von zu Hause weggegangen war, aber es kam mir wie eine Ewigkeit, wie Jahre vor. Ich stand jetzt vor unserer Haustüre und getraute mich nicht gleich einzutreten, also klopfte ich an. Kurz darauf hörte ich Schritte, die Tür öffnete sich und meine Mutter stand vor mir. Sie sah mich, stieß einen Schrei aus, nahm mich in die Arme und rief ins Haus hinein: „Der Bub ist da, der Bub ist wieder da!" Sie drückte mich an sich, strich mir über den Kopf und ich konnte ihr Haar riechen, sie roch nach Zimt und Äpfeln, und dann hörte ich die Schritte meines Vaters, der die Treppe herunter in den Vorraum kam. Ich war wieder zu Hause.

***

Im Jahr 1952 heiratete Marie in Mürzzuschlag den aus Hornstein zugezogenen Medizinstudenten, der knapp vor dem Abschluss seines Studiums stand und den sie 1945 kennengelernt hatte.

Ein Jahr später, knapp vor der Fertigstellung der Ordination des jungen Praktischen Arztes in dem kleinen Ort bei Mürzzuschlag, fuhr ein Taxi vor dem Haus vor. Der Fahrer, ein Bekannter von Marie, hatte einen hohen britischen Offizier und seinen kleinen Sohn dabei, die vor dem Bahnhof in Mürzzuschlag in das Taxi gestiegen waren. Der kleine Sohn hatte sich im Zug übergeben und der Offizier war darauf aus dem Zug gestiegen und hatte den Taxifahrer gebeten, ihn und den Kleinen zu einem Arzt zu bringen.

Der Mediziner stellte nach Befragung der beiden fest, dass die Übelkeit und das Erbrechen des kleinen Jungen offensichtlich auf den ungezügelten Genuss einer größeren Menge von englischem grünen Jelly[83] und Unmengen von

---

[83] engl. Jelly green = Gelee, grün (wahrscheinlich Waldmeister-Geschmack)

Schokolade im Zug von Wien nach Leoben zurückzuführen war. Der Offizier, der ausgezeichnet Deutsch ohne irgendeinen Akzent sprach – es hörte sich so an, als käme er selbst aus der Steiermark –, war nun beruhigt, bedankte sich bei dem angehenden Arzt, bezahlte ihm ein nicht verlangtes, von ihm selbst bestimmtes, überraschend hohes Honorar und hielt auch später noch einige Male, auf dem Weg ins britische Hauptquartier nach Leoben, bei dem sympathischen jungen Arzt an. Er lud ihn und seine Frau Marie danach auch mehrmals zu Festivitäten der Briten nach Leoben ein. Eine willkommene Abwechslung für den Arzt und seine Frau.

***

Postscriptum

(Aus dem Buch „Der Goldzug" von Sabine Stehrer, Czernin Verlag, Wien, 2006)

Wert, Restitution, Entschädigung

Das Vermögen im Goldzug war

- nach Schätzungen der US-Army in den ersten Nachkriegsjahren 150 Millionen Dollar wert.
- nach Schätzungen der US-Historiker in den 90er-Jahren 200 Millionen.
- nach Schätzungen jüdischer Organisationen 300 oder 350 Millionen wert.
  Bei Umrechnung auf heutige Verhältnisse wird der zehnfache Wert angenommen.
- Nach zwei Jahren im Warehouse der Amerikaner wird das für die Versteigerungen vorbereitete Goldzug-Gut von einem US-Rechtsanwalt auf einen Wert von 4 bis 5 Millionen Dollar geschätzt.

1946 gibt Sandor Ercse, einer der Vertrauten Toldys, 2 Kilo Goldbarren, Goldmünzen und Gold in vier verschiedenen Währungen an Ungarns Regierung ab.

1948 gehen 13.629 Kilogramm von der Französischen Regierung an die Ungarische Regierung – gegen die Herausgabe von 3000 französischen Güterwaggons. Darunter sind 200 adressierte Kuverts mit Juwelen und Schmuck, die an die Eigentümer gehen sollen. 15 bis 20 leben noch und erhalten ihre Pretiosen zurück.

Die US-Army restituiert an Markovits, Csillaghi und die Familie Gergely einzelne Besitztümer – sowie an die ungarische Regierung möglicherweise einen Teil des Goldzug-Guts, vermischt mit dem Währungsgold.

Vom Internationalen Flüchtlingskomitee wird H.H. (der einzige dokumentierte Fall einer Einzelperson mit Anspruch) mit 13.000 US-Dollar entschädigt, nachdem seine in Budapest beschlagnahmten Schatullen mit Schmuck und Juwelen in New York versteigert worden waren.

Der Erlös aus den Auktionen und dem Verkauf in Frankfurt am Main und in New York in der Höhe von 2.171.874 US-Dollar wird an Flüchtlingsorganisationen verteilt und fließt in Hilfsprogramme.

Über Österreich retournieren die USA an Ungarns Regierung und an die Stadt Györ mehr als 1.100 Gemälde.

Von der ungarischen Regierung erhielten Holocaust-Opfer 1991 Entschädigungsscheine, die an alle Bürger vergeben wurden, die zwischen 1938 und 1989 (Jahr der Auflösung der kommunistischen Volksrepublik nach sowjetischem Muster) Schaden erlitten.

Die Scheine waren gegen eine Rente, beim Kauf von Ackerland, gegen Aktien privatisierter Unternehmen und gegen bestimmte Waren eingelöst worden und wurden ab 1992 an der Budapester Börse gehandelt.

Die Stiftung für jüdisches Erbe in Budapest erhielt für Ungarns Holocaust-Überlebende unter anderen Entschädigungen nach dem „Schweizer Bankenvergleich" 1999.

Lichtengraben

Im Sommer der Jahres 1985 erfuhr der Autor dieses Buches, Nicholas Martin Mason-Mayerhöfler, von seiner damaligen Freundin, die aus Wolfsberg im Kärntner Lavanttal stammte, von den Ereignissen im Lichtengraben im März/April des Jahres 1945. Die Freundin hatte ihre Informationen von einem Bekannten, einem älteren Lavanttaler, der Mitglied der SS und damals an dieser Aktion beteiligt war. Er erzählte der jungen Frau die Vorgänge und zeigte ihr auch den Ort. Der Buchautor, der auch Journalist ist, recherchierte viele Jahre, besichtigte mehrmals den genauen Ort („den Hang") im Lichtengraben und schrieb schließlich diesen Roman, der sich mit den damaligen Geschehnissen und ihren Hintergründen beschäftigt. Aber nicht als Schatzgeschichte, sondern als Information für die Nachwelt, mit vielen zeitgeschichtlichen Hinweisen und Dokumenten. Es ist vor allem ein Buch gegen das Vergessen. Noch heute sprechen die Menschen in diesem Nebental vom „Horthy-Gold", dies ist in den vergangenen 73 Jahren schon Bestandteil einer „Sage" geworden.

Zum Nachdenken ein Gedicht von Martin Niemöller[84]

„Als sie die Juden holten"

Als die Nazis die Kommunisten holten,
 habe ich geschwiegen,
 ich war ja kein Kommunist.

Als sie die Sozialdemokraten einsperrten,
 habe ich geschwiegen,
 ich war ja kein Sozialdemokrat.

Als sie die Gewerkschafter holten,
 habe ich geschwiegen,
 ich war ja kein Gewerkschafter.

Als sie die Juden holten,
 habe ich geschwiegen,
 ich war ja kein Jude.

Als sie mich holten,
 gab es keinen mehr,
 der protestieren konnte.

---

[84] **Martin Niemöller** war ein deutscher Pfarrer und Theologe. Er wurde 1892 in Deutschland geboren. Zunächst unterstützte er Hitlers Politik, lehnte sie jedoch später ab. Er wurde verhaftet und in die Konzentrationslager Sachsenhausen und Dachau deportiert. Im Jahr 1945 wurde er von den alliierten Truppen befreit und setzte seine Karriere in Deutschland als Geistlicher und als berühmter Pazifist fort.